JN024825

ワイルドサイドをほっつき歩け

ハマータウンのおっさんたち

ブレイディみかこ

MIKAKO BRADY

STILL WANDERING AROUND THE WILD SIDE

筑摩書房

目次

Contents

第2章　解説編

装丁デザイン　岩瀬　聡

はじめに　おっさんだって生きている

「世界に目をやり、その問題を見てみれば、それはたいてい年老いた人々だ。道を開けようとしない年老いた男性たちである」

二〇一九年十二月、米国のオバマ前大統領がシンガポールでこんなことを言ったらしい。

世界が激動・混迷するこの時代、「おっさん」たちは何かと悪役にされてきた。

トランプ大統領が誕生したのはおっさんのせいで、ＥＵ離脱もおっさんのせい。どうして彼らは過去の「良かった時代」ばかりに拘泥（こうでい）し、新しい時代の価値観を受け入れようとしないのか。セクハラもパワハラもおっさんのせいだし、政治腐敗や既得権益が蔓延（はびこ）るのもおっさんたちのせい。リベラルの後退も世の中が息苦しくなっているのもおっさんのせいなら、排外主義も社会の劣化もすべておっさんが悪い。彼らは世の諸悪の根源であり、政情不安と社会の衰退の元凶だ。

なんかもう、おっさんは世界のサタンになったのかというような責められ方ではないか。

だけどこれにはおっさん側にも言い分はあるだろう。だいたい「年老いた男性が道を開けない」とか言っても、彼らだって本当は道を後進に譲って隠居し、ゆったり暮らしていきたいと思っているかもしれない。が、高齢化が進む社会では年金受給開始年齢も上がる一方で、働ける間は働かないと食っていけないからこちとら道を譲りたくとも譲れないんだ、老体に鞭打って若者と張り合わなければならない身のしんどさを考えてみろ、という切実なつらみを吐露したくなることもあるかもしれない。

それに、よく考えてみると、むかしは「お年寄りには道を譲りましょう」と言うのがふつうだったのであり、現代では「老いたやつが道を開けない」と言ってオッケーになっているというのはけっこう無礼だ。そりゃいまのおっさんたちはベビー・ブーマー世代と呼ばれる人たちで、数がやたらと多く、それが一斉に年を取っているわけだから、ひとりひとり大切にして道を譲っていたら若者の歩くスペースがなくなってしまう。それに、年寄りの数的圧迫感は下の世代にとってはおそろしい。こんなにわんさかいる世代の年金を、なんで少数の自分たちが負担しないといけないわけ、みたいな不平等感はいつしか嫌悪感に変わる。

しかし、同じ年寄りでもおばはんはそこまで責められない。過去の「良かった時代」にすがりつき、強硬にEU離脱を唱えていた中高年女性をわたしは何人も知っているが、おばはんが世界のサタン扱いされないのは、やはり女性はマイノリティーということで糾弾を免除されているのだろうか。とかくいまの世の中、おっさんだけを別枠扱いし、問題はあいつらがのさばっていることだと言っておけば良識の持ち主でいられるらしい。

英国なんかだと、とくに「けしからん」存在と見なされているのは、労働者階級のおっさんたちである。時代遅れで、排外的で、いまではPC（ポリティカル・コレクトネス）に引っかかりまくりの問題発言を平気でし、EUが大嫌いな右翼っぽい愛国者たちということになっている。

とはいえ、おっさんたちだって一枚岩ではない。労働者階級のおっさんたちもミクロに見て行けばいろいろなタイプがいて、大雑把に一つには括(くく)れないことをわたしは知っている。なぜ知っているのかと言えば、周囲にごろごろいるからである。

彼らが世界のサタンになる前からわたしは彼らを知っている。だから、おっさんがサタンなどという神の敵対者になれるほど大それた存在とは思わない。彼らは一介の人間であり、わたしたちと同じヒューマン・ビーイングだ。

おっさんだって生きている、生きているから歌うんだ。おっさんだって生きている、生きているからかなしいんだ、とつい歌いたくなってしまうのもそのせいだろう。おっさんの手のひらを太陽に透かして見れば、彼らの血潮だって真っ赤に（脂肪が増えて濁ってるやつもいるかもしれないが）流れている。さらにその年季の入った血管からは、現代社会の有り様だけでなく英国の近代史が透けているのだ。

そして、「おっさんは道を開けろ」と言われても、まだ人生という旅路にしがみつき、ワイルドサイドをよろよろとほっつき歩いている彼らの姿を観察していると、わたしにはある一つの世界を貫く真理が胸に迫ってくるのを抑えられない。それは、シンプルな言葉で表現すればこういうことである。

みんなみんな生きているんだ、友だちなんだ。

ワイルドサイドをほっつき歩け

ハマータウンのおっさんたち

主な登場人物（↓以下は詳しい説明のあるページ）

レイ　一九五六年ロンドン、イーストエンドのレイトンストーン生まれ。元自動車派遣修理工。↓p13

レイチェル　レイのパートナー。美容院経営。三人の子どもがいる。↓p14

スティーヴ　一九五八年ブライトン生まれ。昔勤めていた工場跡地にできた大型スーパーで働いている。高齢の母親と二人暮らし。マッドネスの元ファン。犬好き、本好き。↓p23

ジェフ　一九五六年レイトンストーン生まれ。闇の商売に手を染め逮捕服役。出所後、塗装業者に。二十代のタイ人の妻ナタヤとエセックス州で暮らす。↓p36

テリー　一九五五年ロンドンのフォレスト・ゲート生まれ。不良道を走ったのち、ブラックキャブの運転手に。銀行勤務の妻と高級住宅地に邸宅購入。労働党員。↓p42

デヴィッド　ロスチャイルド銀行勤務。アッパーミドルの金持ち（でも若い頃はスカが好きだった）。テリーの友人。↓p43

サイモン　一九五五年レイトンストーン生まれ。海外を放浪。配送業のドライバー。エセックス州に甥と住む。ＮＨＳと労働組合の力を信じる。↓p52・105

ダニー　ロンドンのイーストエンドからエセックス州へ移住。生前は大変なイケメンだった。アジア旅行でベトナム人の二十代女性と知り合う。晩年癌にかかり、彼女が看取る。妹はジェマ。↓p82

ローラ　一九六一年ウェールズ生まれ。ＮＨＳの元看護師。ロンドンにある不動産家賃と年金で暮らす。カヌーが趣味。パートナーはマイケル。↓p98

ジャッキー　シングルマザー。著者の家の隣に住む。「ガテン系」。↓p152

ショーン　塗装業者。アイルランド系英国人。別れたパートナーとの間に息子と二人の娘がいる。↓p28・p162

第1章 This Is England 2018〜2019

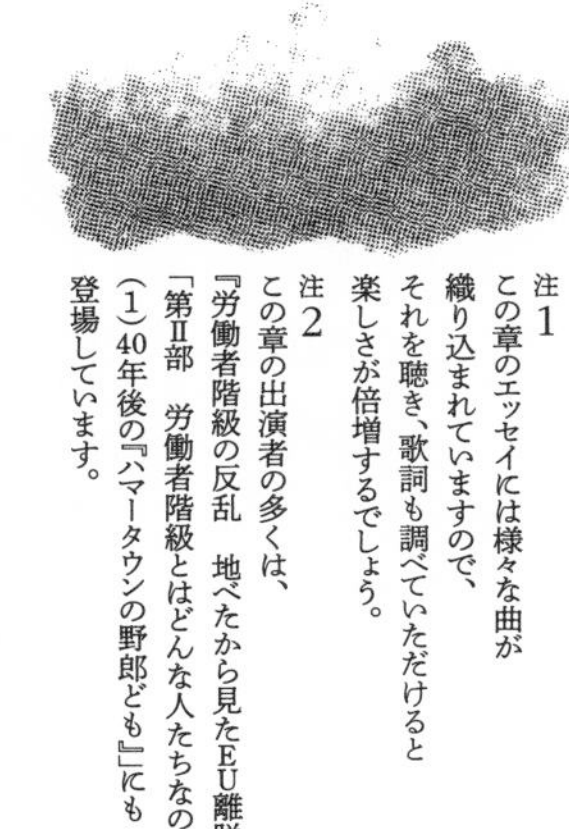

注1
この章のエッセイには様々な曲が
織り込まれていますので、
それを聴き、歌詞も調べていただけると
楽しさが倍増するでしょう。

注2
この章の出演者の多くは、
『労働者階級の反乱　地べたから見たEU離脱』（光文社新書）の
「第Ⅱ部　労働者階級とはどんな人たちなのか
（1）40年後の『ハマータウンの野郎ども』」にも
登場しています。

1 刺青(いれずみ)と平和

『ハマータウンの野郎ども──学校への反抗・労働への順応』(ちくま学芸文庫)という有名な本がある。ポール・ウィリスという文化社会学者が書いたこの本は、一九七七年に英国で出版され、以降、エスノグラフィーや教育社会学に携わる人々に多大な影響をおよぼしてきた。なんて書くとやたら小難しい本のようであるが、要約すれば、英国の労働者階級のガキどもは反抗的で反権威的なくせして、なぜ自分たちから既存の社会階級の枠にはまり込んで行っちゃうのか。自らガテン系の仕事を選び、いかにもな感じの労働者階級のおっさんになりがちなのか。ということを研究した本だった。

わたしは一九九六年から英国に住んでいる人間だが、わたしの連合いは、この本の著者ウィリスが労働者階級の少年たちの調査を始めた一九七二年に十六歳になったのであり、この本に出てくる少年たちとちょうど同じ年代になる。ゆえに当然ながら彼の友人たちも同じぐらいの年齢の人々だ。

『ハマータウンの野郎ども』という書物に封印された少年たちは永遠に老いない。が、あれから四十余年。いまやすっかりおっさんとなり果てた現実の「野郎ども」は、転職ありリストラあり、養育費あり借金あり、暴動あり腰痛あり、の山も谷もある人生を送ってきた。労働者階級のクソガキとしてワイルドサイドを歩いていた彼らは、いったいどのようなおっさんになり、何を考えながら人生の黄昏(たそがれ)期を歩いているのだろうか。というようなことに思いを馳(は)せるとき、うちの連合いや友人たちはその格好の研究サンプルになる。

例えば、連合いの幼なじみにレイ（仮名、以下の友人たちの名前も同様）というおっさんがいるのだが、簡単に彼の略歴を紹介しておくと、レイは一九五六年、連合いと同じ年にロンドンのイーストエンドにあるレイトンストーンという街で誕生した。父親は塗装業者、母親は清掃作業員で、典型的な労働者階級の家庭で育った。で、セカンダリー・スクール（中学校）を卒業した彼は、近所の自動車修理工場に勤め、三十代になったとき、一念発起して自分の修理工場を開くもやがて倒産。しょうがないのでＲＡＣに勤務することにした。ＲＡＣという会社は、路上で車がガス欠を起こしたりして動かなくなった場合に修理工を派遣する「ロードサイド・アシスタンス・サービス」を行っている組織で、レイはその派遣修理工、一般に「ＲＡＣパトロールマン」と呼ばれている人々の一員になった。

この頃の彼は、会うたびに仕事の愚痴をこぼしていた。それはだいたい「車が動かなくなった」という連絡を受けて現場に向かってみれば、助けを待っていたカスタマーがめちゃくちゃ態度が悪かった、偉そうだった、無理難題を言いやがった、みたいな話であり、あの頃のレイは「ＢＭＷに乗った金持ちは世界で一番ファッキン性格が悪い」とか「アルファ・ロメオを運転している男は漏れなくＩＱが二桁ない」などの偏見を世にまき散らしていた。

そんなストレスフルな業務のせいか、レイはいつしか大酒飲みになってしまい、週末など土曜の朝から日曜の夜までぶっ続けで飲んでいることもあり、そんなことをしているとえらいことになりますよ、もう若い頃とは違うのだから、とたしなめていると本当に肝臓を患って「このままでは死にますよ」と医師に言われた。だから、すっぱり酒をやめ、人生の仕切り直しを図ることにしたのである。こんなときこそ家族の支えがたいせつになるが、人生を仕切り直す前に愚痴っぽかったのに加え、泥酔して暴力的になることもあったため、病院から出てきたら妻子が蒸発していた。

レイは衝撃を受けたが、「まあ俺の人生だから、こんなもんだろう」と事態を意外と冷静に受け止め、断酒を続けながら職場復帰して地道に仕事をこなした。しかし、毎日ファミリーのいない家に帰るのも寂しいし、もうパブにも行けないし。ってんで、スポーツジムに通い始めたら、そこでピンクのトレーニングウェアにヒョウ柄のコートを着てやってくる、ブロンドの若い女性を見初めてしまう。で、半年ぐらい遠くからぼうっと眺めていたらしいが、そんなおっさんの不器用で熱い視線に女性のほうも気づいたのだろう。ある日、なぜか彼女のほうからお茶に誘ってきて、あれよあれよという間に同棲を始めていた。ハピネスとはどこに転がっているかわからない。

このセクシーな三十代の女性はレイチェルと言い、実はやり手のビジネスウーマンで、ロンドン東部に二軒の美容院を経営し、本店で自分も美容師として働いている。が、過去の複数のパートナーたちとの間に三人の子どもがいて、現在はシングルマザーだった。だから自分が働いている間は子どもを保育園に預けたり、ベビーシッターを雇ったり、育児面での出費がかさんでいた（ロンドン市内で二歳児をフルタイムで保育施設に預けると、一カ月の費用は一人あたり約十五万円。複数の子がいるともうその支払いだけで大変だ。それに美容師は週末が忙しいので、ベビーシッターも雇わなければならない）。で、レイは四人の子どもを育て上げたベテランの父親だったし、ここは彼が仕事をやめ、レイチェルの三人の子どもの面倒を見ながら家事をこなしたほうが、経済的に安上がりだよね、ということになって、レイは早期退職したのだった。

　そんなこんなで過去六年ばかり、パートナーとして幸福に暮らしてきたレイとレイチェルだったが、二人の間に大きな亀裂を生じさせる出来事が勃発した。二〇一六年六月のＥＵ離脱（ブレグジット）の国民投票である。国民投票が近づくにつれて、それまですこぶる順調だった家庭生活に暗雲が立ち込めてきたのである。

「英国は離脱したほうがいいなんて何考えてんのよ、あんた！　あたしのビジネスはどうなるの？　うちは美容師も顧客も、はっきり言って七〇％はＥＵ圏からの移民なのよ」

　とレイチェルが激昂（げっこう）すれば、レイは

「そうやってロンドンを外国人に明け渡したのは、ＥＵなんぞの言うなりになってグローバル資本主義を進めてきた政府だ。だいたい俺らはブリュッセルのＥＵ官僚なんて選挙で選んでねえんだぞ。俺らの国の主権はどうなってんだ」

　とやり返し、

「偉そうなことを言って、結局はあんた、レイシストなのよ」

「国境をどう管理するか、自分たちで決められる力を国が取り戻すべきだと言ってるだけだ」

「ほら、やっぱり単なるレイシスト」

「主権を取り戻すことはレイシズムなのか？」

などと毎日喧嘩ばかりしているものだから、子どもたちまで徐々に暗い性格になり、一番下の子などはまだ七歳なので「両親がブレグジットのせいで別れるかも」と泣きながら小学校の担任に相談したりするような有様だった。

そんなこんなで迎えた国民投票の日。レイは、最終的には「どうせ残留派が勝つんだから、できるだけ追い上げて政府やEU官僚たちをビビらせてやろう」といった気持ちでやっぱり離脱に投票したという。

だが。

国民投票の結果はレイの予想に反したものになった。二〇一六年六月二十四日の早朝、国民投票の結果が発表されたときの心境を、彼は「最初のガールフレンドから妊娠したと言われたときぐらいびっくりした」と表現した。正直なところ、「ヤバい」と思ったらしい。だが、それは今後の英国社会はどこに向かうのか、というようなマクロな「ヤバみ」というよりは、もっとミクロレベルの足元の問題というか、要するに家庭内における「ヤバみ」だった。

案の定、レイチェルは半狂乱になって、「もう顔も見たくない」、「EU移民が国に帰ってあたしのビジネスが成り立たなくなったら、貴様も優雅に隠居なんてできなくなる」、「おまえのせいで英国が、ひいては全世界が滅びる」とぼろくそにレイをこき下ろし始めたのであり、もうこんな家にはいられない、とうんざりしてパブの片隅でオレンジジュースを飲んでいると、今度は息子から携帯に電話がかかってくる。

「すごいことになったね。レイチェルに聞いたんだけど、父さん、まさか本当に離脱に入れたの？」

単刀直入に聞かれて、レイが「イエス」と答えたら、今度はこっちも携帯でいきなり大説教大会だ。レイの長男は、レイがＥＵ離脱投票の結果を知ったときと同じぐらいびっくりしたという最初のガールフレンドの妊娠の結果として生まれた子どもだったが、「俺の子どもたちの中では例外的な出世頭」と彼が形容するような出来のいい息子だった。

もう四十代になるこの長男はレイチェルよりよっぽど年上になるが、ドイツ系の銀行で働いていて、行内で知り合ったオランダ人の女性と結婚し、長年ドイツで暮らしている。

「あいつの時代はまだ大学授業料が無料だったんだよ。階級上昇の可能性をもっていた最後のワーキング・クラス・ジェネレーションさ」とレイが言うこの長男は、いい年をして離脱に投票するなんてどうしてそういう分別のない行動をとったのか、いい加減にしてほしい、とレイを非難した。

「あいつ大学出のエリートで頭いいから、議論じゃ俺に勝ち目はなくって、なんか一方的に怒られてるって感じ……」

わが家の居間でつらそうにレイが言ったときには、わたしは不謹慎にも思わず笑ってしまった。

「ははは。離脱に入れたばっかりに、パートナーに叱られ、息子に叱られ……」

あれからもうすぐ一年半。ブレグジットの交渉も混迷と迷走の一途を辿り、英国政府もメイ首相もどうすればいいのかよくわかってないぐらいなのだから、そんなものは国民だってわからない。毎日のように状況がコロコロ変わるものだから、連日マスコミも「ブレグジット」「ブレグジット」と連呼し、それを見るたびにレイチェルやレイの長男がまたムカついて「すべてお前のせいだ」とレイを叱りつける。そうなるとレイもムキになって言い返すし、理論で勝てない場合には声を荒らげたりして、怒鳴っていることも往々にしてある。

しかし、いつまでもこのような殺伐とした日常を続けられるものではない。歩み寄り。って大事なんじゃないかな、とレイは考えるようになった。大人たちの分断に怯えている子どもたちのためにも、関係修復への姿勢が必要なんじゃないかと。

「違う考えを持つ者たちがさ、一緒に暮らしていくのは可能なんだってことを、大人はそれができるんだっていうアクチュアルな姿をね、子どもたちに見せることが大事なんじゃないかと思って」

「おお。いいこと言うじゃん」

「その決意っていうか、覚悟っていうか、それをまず俺が見せようと思って」

「どうやって？」とわたしが聞くと、レイは言った。

「タトゥーで」

「……は？」

「ＰＥＡＣＥという意味の漢字のタトゥーを彫って、レイチェルに見せようと思ってる。それが俺からのメッセージだ」

「……」

刺青と平和。その関連性はよくわからんけれども、レイが決めたことである。やればいいじゃん。

と思っていると、先日、早くも携帯にレイからＳＭＳメッセージが届いた。

「Rachel likes it.」と書かれているので、わたしは添付の画像を開いてみた。

誇らしげに笑いながら右腕上部、ちょうど二の腕の外側のあたりをこちらに見せて立っているレイ。彼の背後には、「もう一度あんたについていくわ」みたいな微笑を浮かべながら彼の肩に手をのせているレイチェルも写っている。

おお、ついにレイ宅にも平和が訪れたか。と思いながら、彼の右腕上部に彫られた漢字のタトゥーに目線を移した。と、何かその形状に異常のあることにわたしは気づいたのである。

中和。になっちゃっているのだ。平和ではなくて。

またネットか何かで適当に漢字の翻訳を検索したら出てきた情報に誤りがあったのか、或いは彫り師の技術上の問題でつながってはいけない部分がつながってしまったのか、そこはわからない。が、レイのタトゥーは当初の意図とは微妙に違った意味合いになってしまっているのだが、そのことをわたしはまだ伝えられずにいる。なぜってわたしの頭の中に祖国の古い流行歌が聞こえてくるからだ。

いいじゃないの幸せならば。

2　木枯らしに抱かれて

我が家のある公営住宅地は、海辺のリゾートとして知られるブライトンという街の丘の上にある。で、この丘の斜面がけっこう急なので、一番上のほうはもう霞（かすみ）でもかかってるんじゃないかというほどの高度になっていて、そこまで登って行くのもけっこう大変だし、っていうので人が寄り付かない場所になっている。しかし、そのひっそりとした場所について不穏な噂が流れ始めた。

どうも中国系とおぼしき移民の方々が、二軒の住宅の中に大勢で暮らしておられるというのだ。

英国では、二〇〇四年に、ランカシャー州の海岸で採貝作業に従事していた中国人移民の方々が、潮が満ちてくる時間を雇用主に知らされてなかったため、二十三人も溺死してしまったという痛ましい事故が発生し、『Ghosts』という映画にもなっている。これがまた何度もテレビで放送されているものだから、「あの中国系の人たちも何かヤバい仕事をさせられているんじゃないか」という噂が広まる一方で、十代のガキどもが当該住宅の前庭の塀に落書きを始めた。

「チンク（東洋人に対する差別的な蔑称）は帰れ」

「KKKが君たちをウォッチしている」

つくづく感心してしまうのは、貧民街のティーンたちが使うレイシズム用語は、わたしが英国に来た一九九六年からちっとも変わらないということだ。時は流れ、テクノロジーも進歩して、公衆電話ボックスからスマホの時代へと移り変われば、同じ年頃の若者でも思いつく文句がもう少し変わってきてもよさそうなものなのに、レイシズムというものは同じ言葉で再生産されていくものなんだなあ、と思っていると、それに猛然と反旗を翻すおっさんが出てきた。

「中国人たちの家に向かって、石や煉瓦（れんが）を投げ始めたガキがいる。この辺に住んでいる人間として、黙っているわけにはいかん」

パブでそう言って立ち上がったのは、スティーヴだった。この公営住宅地で生まれ育った彼は、この辺のことなら何でも知っている。うちの庭に立っている巨大な樹木が、昔は地域の人々の里程標がわりに使われていたことや、石灰質でどんな植物でも育つわけではない貧民街の地質の形成の経緯など、何年も失業保険で生きていた時期に暇を持て余してコミュニティーの歴史を勉強したことがあったらしく、この界隈に関してだけは膨大な知識を持っている。

英国の労働者階級のおっさんにはこういう人が多い。単なるガラの悪いおやじかと思っていると、実はやけにオタクな一面を持っていて、何か一つのことに関して無駄なほど豊富な知識を備えた人たちがいる。実はこのあたり、サッチャー政権からブラウン政権ぐらいまではわりと楽に失業保険や生活保護が受給できたので、労働者階級の街には仕事をしないでぶらぶらしている人がけっこういた、という事実が、思わぬところで豊かに実を結んでいるのである。で、その失業保険の果実の一つであるところの、わが街の「界隈史研究者」スティーヴは言った。

「俺はこれまで様々なティーンの排外主義を見てきた。雑貨屋のインド人の大将が刺されたり、中華料理店のガラスが何度も打ち割られていたこともあった。だが、それは過去の話になった、と思っていた。地域の中学校の校長ががんばっているおかげで、ここ二、三年、学校の評価も上昇している。これは地域の大人たちが学校と力を合わせ、こんなクソみたいな時代だからこそ地域の治安を守ろうと努力してきたからだろう? それなのに、また昔の、雑貨屋の大将が刺されたぐらいの時代までコミュニティーを逆行させるような行為は許すわけにはいかない」

スティーヴはパブのカウンターから常連のおやじたちにそう呼びかけた。

「その通り」

と頷(うなず)いたのは、中学生の双子の子どもを持つ近所のおっさんだ。

「俺もそう思う」

カウンターの脇に設置されたスクリーンでサッカーの試合を見ていたうちの連合いと隣家の息子、およびビリヤードに興じていた常連のおっさんたちもスティーヴに賛同した。

「でも、どうやってガキどもの悪さを止めるんだ?」

と質問され、スティーヴは自らの案を語り始めた。彼の案では、ティーンがそういう悪さをし始めるのは暗くなった時間帯であり、だいたい夕食後の午後八時以降とかだ。だから、その時間帯に見回りを始め、「ごっついおっさんたちがパトロールしているぞ」ということを吹聴して回れば、こんなことしているのは界隈のローティーンに決まっているのだから、恐れをなして悪さをしなくなる、ということだった。

ごっついおっさん、という外見に最もあてはまるのが実はスティーヴ本人だった。スキンヘッドで眼光鋭い長身のスティーヴは、マッドネスのファンだった過去を持ち、たぶんその頃から三十五年以上、基本的に全然ファッションが変わってないんじゃないかなと思うような中途半端な丈で折り返した細いジーンズをはき、足元はあくまでドクターマーチンのブーツ。冬でも半そでのTシャツ一枚で、この頃では目にすることもなくなった臙脂(えんじ)色のボンバー・ジャケットを羽織っている。

彼はむかし勤めていた工場の跡地にできた大型スーパーで働いているので、仕事の行き帰りに会うときはスーパーの制服姿だが、それ以外のときにはいつも判で押したように同じ格好をしていた。一途、というか頑固な人柄なのだった。

こうして、八〇年代ファッションのスキンヘッドのコワモテのおっさんに率いられた夜間パトロール隊が組織された。最初はあの晩パブにいた六人だけだったが、双子の中学生の父親が中学校関係者に呼びかけたので、若い男性の体育教員や他の保護者たちも続々参加。人数が増えたので、各人がパトロールするのは週二回ずつ、みたいなローテーションも組まれて、公営住宅地の奥地の見回りパトロールが運営されたのだった。

スティーヴを始め、この見回り隊に参加していた人々の多くが、実はEU離脱派だった。「移民が増えすぎて学校や病院がパンクしそうになっている」とか「英国は移民をコントロールできる主権を取り戻すべき」とか言っていたおっさんたちだったのである。が、彼らは、すでに英国に入って来ている外国籍の人々に対してはきちんとリスペクトを払って生活するべき、という信条を抱いており、ティーンの排外主義的行動を地域の大人として黙って見ているわけにはいかないという考えで団結していた。こうした活動が生まれる背景には、保守党が緊縮財政で公共サービスをカットしていくにつれ、貧民街にコミュニティ・スピリットのようなものが蘇ってきているという事実がある。あまりにも政治から見離されすぎて、貧乏人は自分たちで自治しないと生きて行けない状況になってきているのだ。国が助けてくれなければ自分たちで助け合う。緊縮で人員を減らされた警察が貧民街を放置プレイするのなら自分たちでパトロールする。崖っぷちの相互扶助のスピリットだ。

そんなわけで、見回り隊の活動は続いたが、連合いは、パトロールしていた間、二回ほど自転車に乗ったティーンが中国人のみなさんの住宅近くにやって来たのを見かけたという。だが、おっさんたちが腕組みをして立っている姿を見ると素知らぬ顔ですっと通り過ぎて行ったので、「さっさと宿題して寝ろよ」と声かけしておいたらしい。

ローテーションを組んでいるのだから毎日参加する必要はないのだが、スティーヴだけは、スーパーの夜間シフトのない日は必ず来るというので、やはり発起人としての責任を感じているのだろうと思っていると、どうやらそうではないらしい。

「来なくていいって言ってるのに毎日来るんだよ。最近、ちょっと若者が着るような感じのジャケットとかも買っちゃって」

と連合いが言うと、隣家の息子が脇でニヤニヤ笑っている。

「やりがいを感じてるんでしょ、きっと」とわたしが言うと、

「いや、そうじゃなくて……」と連合いもニヤニヤしている。

「スティーヴ、どうもフォーリン・ラヴしちゃったみたいで」

「は？」

予期してなかった言葉が返ってきたので困惑していると、連合いと隣家の息子が事情を説明してくれた。二人の話を総合するとこういうことである。

近所のパブに本拠を構えたおっさんたちの見回り活動は成功をおさめ、開始以来、一度も中国人の方々への嫌がらせ行為は起きていない。中国人の方々が、いつ彼らの見回り活動に気づいたのかはわからないが、やはりどこかで耳にするか、あるいは毎晩自分たちの家の周囲をうろついているおっさんたちの姿に気づいたのだろう。ある日、若い中国人の女性が玄関から飛び出てきて、路上に立っていたスティーヴをいきなりハグし、「サンキュー」と言って家の中に戻って行ったらしい。

「プリティな子だったんだよ、これがまた。スティーヴ、どうもあれから言動がおかしい」

連合いがそう言うと、隣家の息子がいよいよおかしそうに笑っているので、仲間内でジョークのネタにされているのか、それともこのスティーヴのロマンス説にいくばくかの真実があるのかは不明だったが、次にスティーヴを見たとき、確かに彼はジャスティン・ビーバーが着ていそうなフード付きのジャケットを着ていた。

そんな按配でつつがなく続いたおっさんたちのパトロールだったが、二カ月ほど経ったある日、唐突にその活動は終焉を迎えた。

ある晩、二軒の住宅がもぬけの殻になっていたというのだ。あんなに大勢いた中国人のみなさんが忽然と消えてしまったという。どうしたことかと思って数日間は見回りを続けたが、彼らが再び戻ってくる気配はなく、二週間ほど経つと、二軒の住宅には新たな住人が引っ越してきた。

見回り関係者や近所の人々は、しばらく中国人のみなさんの行方についていろいろ噂していた。今度は別の地域に連れて行かれて不法就労させられているんじゃないかとか、見回りパトロールが話題になったせいで移民局に不法滞在がバレたんじゃないかとか、様々な説を唱える人がいた。

「不法、不法って頭から決めつけることもないと思うんだけど」

とわたしが言うと、黙っていたスティーヴがぼそっと言った。

「……国に帰って、達者にしてくれているのが一番いいよ」

「ゴー・バック・トゥ・ユア・カントリー」は排外主義者の古典的な常套句だが、スティーヴの言葉にはちょっとそれとは違う響きがあった。じゃあな、と彼は立ち上がり、パブの外に出て行った。びゅうびゅうと外は冷たい木枯らしが吹いている。

白い季節の風に吹かれ寒い冬がやってきたのだ。

窓の外のスティーヴは、また古びた臙脂色のボンバー・ジャケットを着ている。

3　ブライトンの夢──Fairytale of Brighton

埠頭の倉庫勤務のおっさん、ショーンがパブで激昂（げっこう）していた。

「俺が倉庫のオフィスでタイムカード押してたら、向こうから同僚が歩いて来て、俺の顔を見るといきなり『CUNT!』って言って出て行きやがった」

「何それ、超失礼じゃん」

とわたしが驚くと彼は言った。

「なんでそう言われたのかぜんぜん心当たりがないんだよ。そいつに迷惑かけたり、怒らせたりした覚えはないし。こないだまでジョーク飛ばし合ってた仲なのに。……やっぱEU離脱のことで言われてんのかなって」

「えっ？　まさか、アイルランドがEU離脱交渉を難航させてる、みたいな？」

「うん。それぐらいしか考えられないんだよな。アイルランド人だからって理由でイングランド人に罵倒されるのって、久しぶりっていうか、何十年ぶりだろうって感じ。なんか最近のこの国は、タイムマシーンで俺らの若い頃に戻ってるような気がするよな」

「…………」

そうなのである。ＥＵ離脱交渉を進めている英国で、離脱派の人々にとり、アイルランド人がパブリック・エナミーNo.1になりつつあるのだ。それというのも、ブレグジットの国民投票から一年半も経ったいま、アイルランド政府が「ところで、ＥＵ離脱になったら北アイルランドとアイルランドの間の国境はどうなるんですか？」という怒濤のクエスチョンを突き付けてきたからだ。これはイングランドの人々を「えーっ、その問題があったこと、すっかり忘れてたじゃん」と狼狽させるに足る問いだった。

そもそも、アイルランドという島は英国の植民地であった。が、それが独立を機に二つに割れてしまったのは、南部にはカトリック（アイルランドの国教）系の住民が多く、北部にはプロテスタント系の住民が多いという事情があり、北部の人々は独立するより英国と一緒のほうがいい、と決めたからである。とはいえ、北部にもカトリック系住民は存在するわけで、彼らはこの決定には不満を抱き、そのために英国残留派と独立派の対立が絶えず、テロ事件が頻発した。

だけど、みんないい大人なんだから、いい加減で何とかしなきゃね。ってんで、英国、アイルランド、米国、欧州国の政治家たちが仲介役になり、三歩進んで二歩下がる、みたいな長く険しい和平交渉が行われた結果、一九九八年、ついにベルファスト合意という歴史的和平協定が結ばれたのだった。

だが、昨年決定したＥＵ離脱により、英国とＥＵ諸国との間に厳格な国境が設けられることになれば、北アイルランドとアイルランドだって外国どうしだ。再び鉄条網の国境が設けられることになる。でも、それは二十年前に締結した和平協定の破棄になるよね。とアイルランド政府がもっともなことを言い出したのだ。

「そもそもさあ、そんなことEU離脱の国民投票の前に誰も言ってなかったよな」

と連合いが言うと、ショーンも俯(うつむ)きがちに答える。

「北アイルランドはいつも存在を忘れられるからね」

「北アイルランドとアイルランドの間だけ特別扱いにして、国境は置かないことにするとしたら、アイルランドに入ってきたEU移民はそのまま北アイルランド経由で英国に入って来られるから、それ、何のEU離脱にもならないよな」

「うん。なんか、最終的にはアイルランドがブレグジットを阻止する、って形になったりするんじゃないか?」

ショーンがそう言うと連合いも頷(うなず)いた。

「うん。なんかそういう、嫌な予感がするんだよな。そしたら、俺ら、いよいよ忌み嫌われるな」

「アイリッシュ大差別時代の再来よ」

みたいな暗いことを言いながら、アイルランド系英国人のおっさん二人がパブの片隅でうなだれている。皮肉なことに、この二人、実はEU離脱派なのだ。そう考えるとブレグジットというやつはギリシャ悲劇のようであり、同時にどこかドタバタ喜劇のようでもある。

「だいたいそもそも、国民投票とかしたやつが悪い」

「そうそう。さっさと辞めた前首相な」

「なんかもう、グレイト・ブリテンに未来はないんじゃねえか」

「グレイトどころか、テリブル・ブリテン」

「ブリテン・イズ・シット」

とアイリッシュ系英国人二人が英国を呪っているので、

「あんたたち、またそういうことを言っていると、イングランド人に喧嘩吹っかけてると思われるから、もう帰ろう」

と言い聞かせてパブを出た。

いつの間にか雨が雪に変わっている。歩道橋の下に段ボール紙を敷いて座っている人がいるのが見えた。こんな雪の夜に路上に座っている人は、本当に行き場のないホームレスだ。

「小銭をください」

ホームレスの男性は、わたしたちの前を歩いていた二人組のおっさんたちにそう言って右手を差し出した。おっさんたちが無視して歩き過ぎようとすると、男性はもう一度言った。

「小銭をください。お願いします」

北アイルランド訛り（なま）の英語を喋る（しゃべ）ホームレスの男性に、毛糸の帽子を被ったおっさんが怒鳴った。

「そんなに困ってるんならアイルランドに帰れ！」

もう一人の赤ら顔も叫ぶ。

「だいたいおまえらアイリッシュは昔からイングランドに金をたかることしか知らない。俺らはおまえらなんかいらないんだ！」

と赤ら顔が足を上げてホームレスの男性に蹴りを入れた瞬間に、連合いとショーンがだっと走り出した。

「おい！　貴様、何やってんだ」

ほろ酔いのおっさん二人組は、あまり酔ってないおっさん二人が全速力で駆けてくるのを見て逃げ出した。ショーンもうちの連合いもあまり柔和な顔立ちとは言えないので、きっと駆けて来る形相も怖かったのだろう。

そばに近寄って見てみれば、座っていたホームレスの男性は、遠目には初老に見えたが、実は若者だった。寒さのせいか、酔ったおっさんに蹴られたせいか、ぶるぶると全身を震わせている。

「おめえ、何か温かいものを買ってこい」

と連合いに言われて近くのカフェでティーとホットサンドを買って戻った頃には、青年が座っている段ボール紙のへりにショーンと連合いも座り込み、三人で何か話し込んでいた。

ティーと食べ物を渡すと、青年は両手でティーの紙コップを両手で握りしめて「ウォーム……」と言い、ホットサンドの入った紙袋を頬に押し当てて、また「ウォーム……」と言った。

「もう、その友達の家には帰れないのか？」

連合いがそう聞くと、体に毛布を巻き付けた青年は言った。

「すぐ出て行くからって言ってぐずぐずと世話になり続けて、うんざりされていたから……。もうあそこには戻れない」

下を向いている青年の顔をじっと見ていたショーンが言った。

「とにかく、こんな雪の晩にこんなところに座ってたら死ぬから、今日はうちに来い」

今度はわたしと連合いがショーンの顔をじっと見る番だった。ホームレス状態になった人に同情するのは誰でもできる。だが、家に招き入れるのはまた別の次元の問題だ。

「先に言っとくが、俺んちには猫が七匹いて、家の中は猫のションベン臭い。老いぼれた雌猫が、最近、あちこちで粗相をするようになっちゃったからな。それでも、ここよりは暖かいと思う」

ショーンの家にはなぜか猫たちが集まるのだ。いつの間にか猫たちが自分ちに帰らなくなり、勝手に彼の家に住み着いたりするものだから、一時期は十匹も猫を置いていたことがあった。だが、人間は猫のようにはいかないようで、二十年前にパートナーと子どもが家を出て行ってから、ずっと一人暮らしをしている。

ショーンはホームレスの青年を抱え上げるようにして立ち上がらせ、二人で歩道橋を渡り、猫だらけの家に向かって歩き出した。

「ショーン、太っ腹だね」

とわたしが言うと、

「人間は猫とは違うんだけどな」

と連合いがぼそっと言った。

それから数日が過ぎ、白い雪が黒く汚れて溶けて流れ出した頃、連合いがパブでショーンと会ったという。あの晩の翌朝、ホームレスの青年はショーンの家から黙って姿を消したと聞かされたらしい。

「現金とか携帯電話とか、金目のものがゴッソリなくなってたらしい」

と連合いは言った。

「勇気あるなと思ったんだよ。あの青年の脇に置いてあったボトルの数を見れば、ふつうは連れて帰らない」

「うん……」

「キッチンのテーブルに『ハッピー・クリスマス』って走り書きが残されていたらしい。人を馬鹿にした話だよな」

ハッピー・クリスマス。うちの居間の暖炉の上に並べたクリスマスカードの一枚にもそう印刷されていた。

ふと、二十年前に家を出て行ったパートナーと息子に、毎年ショーンがクリスマスカードを送っていると言っていたのを思い出した。

まったく何の返事も来なければ彼も送るのをやめるのだろうが、何年かに一度、忘れた頃に息子からクリスマスカードが送られてくるらしい。

「ホワイト・クリスマスになるのと同じぐらいの確率だよ」

ショーンがそう笑っていたことがあった。

英国の人々はクリスマスに雪が降るかどうかをギャンブルのネタにする。寒い国だから、よくホワイト・クリスマスになるんじゃないかと思われがちだが、意外とこれがうまくいかないもので、クリスマスの少し前とか後とか、微妙に時期をずらして雪景色になることはあっても、当日に雪が降ることは滅多にない。

英国で最後にクリスマスに雪が降ったのは七年前だった。

毎年ベッティング・ショップ（賭け屋）でホワイト・クリスマスに賭けているショーンは七年間も負け続けていることになる。ギャンブルは男の夢、とかおっさん臭いことを言って、今年もやっぱり雪が降るほうに賭けてしまったらしい。

わたしが英国に来た頃に母親に連れられてブライトンから出て行ったショーンの息子は、ちょうどあのホームレスの青年ぐらいの年頃になっているはずだなと思った。

クリスマスの二週間前に雪が降ったから、今年もホワイト・クリスマスにはならないかもしれない。

4　二〇一八年のワーキング・クラス・ヒーロー

「年を取ると、だんだんむっつりして、不機嫌になって、あんまり笑わなくなる。年々ひどくなる。もう嫌になる」

パブのトイレで、ナタヤはうんざりした顔つきでそう言った。二十四歳の彼女は、ジェフと結婚してタイから英国に来て二年になる。

いやいやいや、年々むっつりと扱いづらくなる労働者階級のおっさんの醍醐味（だいごみ）がわかるのは、まだまだこれからですぜ、お嬢さん。と思いながらわたしは微笑していた。

「ベイビーの面倒はちゃんと見てくれるけど、そうじゃなかったら、ちょっと本気で嫌かも」

出産して三カ月とは思えない完璧ボディにぴったりとはり付くニットのワンピースを着て、長い髪をかき上げつつ鏡を見ているナタヤを見ていると、ふとバブル時代の日本に戻ったような感覚に陥る。

が、しかし鏡に映ったナタヤの隣に立っているのは、五十面（づら）さげたわたしであることからも、ここがバブル期の日本でないのは明らかであった。実際、トイレの洗面台の鏡に映っているわたしたちは親子のようにも見える。トイレ内の英国人たちはきっとそう思っているに違いない。

「ジェフ、子育てという点では経験豊富だからね」

とわたしは言った。ナタヤと結婚する前、ジェフには一人の元妻と二人の元パートナーがいた。元妻との間には子どもが二人、元パートナーたちとの間にはそれぞれ一人ずつ子どもがあるから、三カ月前にナタヤが産んだ子どもは彼にとって五人目になる。

とは言っても、他の子どもはみなすでに成長していて、四番目の子どもさえハイスクールを出たばかりだから、ジェフにとって五人目の子どもは年齢的には孫のようなものなのだった。

英国の中高齢の男性には、タイやフィリピン、中国などに旅行するのが好きで、現地で知り合った若い女性と結婚する人々がいる。ネットには、「あなたのタイ美人を見つけよう」(Thaicupid.com)、「理想的なアジア人パートナーを見つけよう」(asiame.com) というキャッチーなスローガンを掲げた出会い系サイトがいくつも存在していて、英国にいながらアジアの女性たちと知り合う機会はふんだんにある。

ジェフはこうしたサイトを利用したわけではなかったが、男友達とタイに旅行した際、バーでナタヤを一目見てフォーリン・ラヴしたそうで、すぐに結婚を決めた。せっかちなおっさんである。ひと昔前のカイリー・ミノーグみたいな超ミニのホットパンツ姿にやられたらしい。

ナタヤは、渡英して以来、こちらのおっさんと結婚するアジア人の娘に対する世間の冷ややかな眼差しをひしひしと感じているそうで、二人の関係について他の人々には話さないようにしているらしいが、同じアジア出身のわたしには安心するのか赤裸々に語る。

「好きとか嫌いとか関係ない。私は英国に住みたかったから、私を好きになった英国人と結婚した。ハピネスは自分でつかむ」

そう彼女が言い切ったときには、一切のフリルを取っ払った言葉にある種の清々(すがすが)しささえ感じたが、見た目が日本のバブル時代の姉ちゃんみたいな彼女は内面もイケイケみたいだった。

タイで会ったときは金離れのよいジェフのことを資産家だと思っていたらしいので、英国に来たらわりと貧乏な塗装業者だったと知ってがっかりしたそうだが、転んでもこのタイプはタダでは起きない。せっかく英国にいるのだからと、十代のときにうっかり生んで親戚に預けていた長男をタイから呼び寄せ、英語を習得させれば将来よい仕事につけるから母親の自分の暮らしも安泰だと、早くも老後の設計図を描いている。

「一つだけ、英国のワーキング・クラスのおっさんにもいいところがあると思うのは……」

と言いながら彼女はマスカラを直し始めた。

「息子に向上心を持てと厳しく教えてくれるところ」

わたしが知る限り、向上心などという言葉からはほど遠い、行き当たりばったりの人生を送ってきたように見えるジェフだが、いったい六歳の少年に何を厳しく教えているのだろう。

「俺のようなどうでもいい仕事をする大人になるな、っていつも言っている」

丁寧にまつげの内側にマスカラを塗りこめながらナタヤは言った。

「お前らが大人になる頃には、俺らがやっているような仕事は全部ロボットがやるようになるから、建築業とかドライバーとか、そういう仕事をやって食っていけると思うなって」

「あーそれ、うちの連合いも言ってる。マニュアルワークはロボットがするようになるから、しっかり勉強して大学に行かなきゃダメだって言ってるんでしょ。うちもまったく同じー」

どうやらさいきん、労働者階級の親父たちの間で、こういうことを言うのが流行っているらしいのだ。

「テレビとかでそういうこと言ってるから、彼らなりに危機感を感じてるんだろうね。ははは」

思わずウケてしまったが、これは社会学的にはけっこう重要な変化・変遷の兆しではないのだろうか。『ハマータウンの野郎ども』で「反抗的で反権威的でありながら社会階級の枠から飛び出そうとせず、自らマニュアルワークで生きる道を選び取り、既存の階級制度を再生産してしまう」と指摘された英国労働者階級のおっさんたちが、その階級再生産の道をついに断ち切ろうとしている。これまで「俺より出世しろ」と言ってこの道を断ち切ろうとした親父は大勢いただろう。が、「もう俺らみたいな仕事はなくなる」という言葉には、切羽詰まったどん詰まりのマジ感がある。

実際には、AIは人間の頭脳労働に取って代わるものであり、肉体労働を代行させるには頭脳部分だけでなく、手足となって作業を行うメカの部分も必要になっていろいろコストがかかるため、まずはオフィスで働いている人々の仕事から先になくなっていくと言われている。それなのに「取って代わられる」恐怖感をより切実に抱いているのは労働者階級の人々のような気がするのはなぜだろう。

ナタヤと一緒にトイレを出てテーブルに戻ると、ジェフがナタヤの息子にナイフとフォークの使い方を教えていた。グリーンピースだけは小さくて食べにくいのかどうしても手づかみで食べる癖があるらしく、「こうやってナイフでフォークに集めて乗せて、それを口に運ぶんだよ」とか言いながらジェフがやって見せている。うざくなったのか、ナタヤの息子が顔をこわばらせて何かナタヤに言った。

「なんだ、言いたいことがあるなら英語で言え！」

とジェフが怒る。

ナタヤの息子は上目遣いの暗い視線でジェフを一瞥してそっぽを向いた。子どもにしてみればいい迷惑だ。母親の都合で見知らぬ国に連れて来られ、外国人の爺さんを「今日からあなたのお父さんよ」と紹介されて、ロボットに仕事を取られるだのグリーンピースをフォークとナイフで食べろだの口うるさく説教される。だいたいジェフだってちょっと前まではパブで飲んだ帰りにインド料理屋でカレーに顔をうずめて寝たりしていたではないか。何をいまさらテーブルマナーなどと気取ったことをぬかしているのだろう。

と思っていると、バギーの中で赤ん坊がぎゃんぎゃん泣き始めた。ジェフが車輪に足を載せてバギーを前後にゆらゆら揺り動かすが、赤ん坊は泣き止まない。ナタヤは眉一つ動かさずにパスタを食べ終え、デザート・メニューを広げて一心に見ている。しょうがないので、ジェフが赤ん坊を抱きあげて店の外に出て行った。

ナタヤとジェフの関係性はすべからくこうである。私、食べて楽しむ人。あなた、子どもの面倒見る人。みたいな図式が完成されており、ひと昔前の「アジア人妻は家庭的で気が利く」みたいなステロタイプが見事に打ち壊れている感じだ。

『スター・ウォーズ／最後のジェダイ』の新キャラ、ローズのような、一途で純朴で惚れた男のためなら命もかける、みたいな、西洋の男性たちがアジアン・ガールズに託した幻想を鼻で笑うように、セクシーなナタヤは先ほどから隣のテーブルの黒人青年たちの視線を明らかに意識した様子で赤い唇をきゅっとすぼめ、バサッ、バサッと長い髪をかきあげている。二〇一七年の英国エセックス州のパブで、まさか『男女七人秋物語』の手塚理美（さとみ）を見ることになろうとは思わなかった。

「ぜんぜん元気そうじゃん」

パブの中庭で赤ん坊を抱いてゆらゆら体を揺らしているジェフを見つけ、わたしは近づいて行った。

「いや、彼女の昼の顔と夜の顔は違う。夜中に起き上がって一人で泣いていることがある」

とジェフは言った。

彼はナタヤが産後うつにかかっているのではないかと心配していて、同じアジア出身のわたしにならいろいろ話をするんじゃないかと思って今日のランチを企画したのだった。

「タイとかは家族の絆（きずな）が強そうだから、子どもとか生まれると、母親がいたらとか、叔母ちゃんがいたら助けてもらえるのに、とふと思ってホームシックに陥ってるのかもしれないよね」

とわたしは言った。

「……俺は、彼女のお母さんや叔母さんにはなれないのかな」

せつなそうな顔つきで赤ん坊をゆらゆらしながらジェフが言う。

数年前までミソジニー（女性蔑視）の権化みたいなことばかり言っていたビール腹の大男が、いったい何を言っているのだろうと笑いそうになる。

口の周りをチョコレート・ケーキで真っ黒にして、ナタヤの息子が中庭に出てきた。

「おいおい、お前、その顔……」と言いながら、赤ん坊のよだれかけを取って、ジェフが手際よく六歳児の顔を拭き始めた。

「ほらおめえ、ロボット犬までチョコだらけになってるだろ」

ナタヤの息子が手に握りしめているロボット犬もよだれかけで丁寧に拭いているジェフを見ながらふと思った。

ロボットに仕事を取られるとか、移民に仕事を取られるとか、すぐ危機感を抱いて騒ぎだすから「考え方が遅れている」とか「排外主義者」とか叩かれるけれども、地べたでこうやって外国人の子どもの顔についたチョコレートを拭いてきたのはいつだって彼のような人々なのだ。

ロボット犬と義理の息子の顔を交互に拭いているジェフの横顔を見ていると、妙にしんみりした気分になった。この世代のおっさんたちは、ひょっとすると人類史上稀（まれ）にみる労働の大転換期を生きているんじゃないだろうか。

と、思索に耽っている間にも、今度はジェフが左腕で抱いている赤ん坊がにこにこ笑いながら放屁して、オムツのあたりから疑わしい臭気が漂ってくる。

ワーキング・クラス・ヒーローになるのは大変だ、とジョン・レノンが歌ってからもうすぐ半世紀である。

5 ワン・ステップ・ビヨンド

連合いの友人にも、いわゆる出世というものを果たした人がいないこともなくて、例えばテリーという友人である。彼は、ロンドンのイーストエンドで生まれ、セカンダリー・スクール（中学校）の最終学年でドロップアウトしたワルだった。その後、水商売や人に言えない稼業なんかもやって不良道を突っ走っていたが、いろいろヤバめの状況に陥ってミニキャブ運転手に転身。そんで銀行勤務の恋人（現妻）と知り合って、いわゆるロンドン名物ブラックキャブの運転手の資格を取った。

折しもそれはブレア政権のクール・ブリタニアの時代（一九九〇年代後半）である。ブラーやオアシスやケイト・モスのブリテン見たさにロンドンに観光客が集中し、ほんとはそんなに経済成長していたわけでもないのにムードだけはやたらアゲアゲで、借金してでも人々が消費に明け暮れた時代である。ブラックキャブほど巷（ちまた）の景況感を反映する仕事もないので、テリーは上げ潮の時代に大儲けをし、郊外の高級住宅地に美しい邸宅を購入、一躍ミドルクラスへ階級の上昇を果たした。

で、このテリーが毎年二月になると友人たちを招いてパブやレストランでバースデー・パーティーを開く。階級上昇を果たした人の祝いの席だから位の高いエレガントな方々も結構いらっしゃる。まあこの手の人たちにも気さくでいい人っていうのはいるものだから、いくらわたしの趣味が階級闘争の狼煙（のろし）を上げることだとはいえ、金持ちはみんな敵だなんて乱暴なことを言う気はない。が、やっぱり嫌なやつはいる。

その筆頭に挙げたいのがデヴィッドというゲイのおっさんだ。またこういうことを書くとアイデンティティ・ポリティクスにうるさい方々から、同性愛者への差別はやめろという電子投書を頂戴しそうで、昨今この辺は細心の注意を払っても払いすぎることはない。「ゲイ」じゃなくて「ストレート」の設定にしたほうが賢明かつプロフェッショナルな判断とは思うが、わたしは真実を貫きたいと思う。それに、こんなわたしにもゲイの友達はいるのだ。なんとなれば、わたしの居住地ブライトンは、英国のゲイ・キャピタルと呼ばれているぐらいで、ゲイの方々と触れ合わずに生きて行くことは不可能だ。わたしだって若い頃は、彼らとゲイクラブで踊り明かし、アスファルトの彼方から上る朝日を浴びながらニーナ・シモンの「Feeling Good」を歌いつつ劇的な気分で帰路につくこともあったのである。

ところがこのわたしをムカつかすデヴィッドは、ブライトンのファンキーなゲイの方々とはタイプが違う。そもそもロスチャイルドとかいうロンドンの金融街シティの銀行に長年お勤めされたエリート様で、生まれもお育ちもミドルクラスというよりアッパーミドルぐらいの金持ちであり、寄宿舎のあるパブリック・スクールに行ったっていうぐらいだからハイソな出自だ。こういう人がまたなんでテリーの友人なのかといえば、彼はテリーの住居のある高級住宅街に邸宅を所有していて、いまは人に貸しているが、十年ぐらい前までそこに住んでいたのだ。

そんなわけで、十数年前から、テリー主宰のパーティーがあるたびにデヴィッドと顔を合わす羽目になり、こういう人とは話が合わないのでできれば近くに座りたくない、が、そこがわたしの人生が呪われている所以(ゆえん)である。いつも気づいたら彼が隣にいるのであり、例えば、みんなで立ち飲みしているうちにトイレに行ったら、わたしがいない間にテーブルのセッティングが始まり、戻ってきたらみんな席についていてデヴィッドの隣しか空いてなかった、とか、また別のときにはできるだけ彼から遠くの席を見つけて座っていたら、隣のご婦人の子どもが泣きながらマミイの隣に座りたいと近づいてきて、しょうがないからと席を交換したら、案の定その泣きながらやってきた子どもが座っていた場所が彼の隣だった、とかになるのである。「お前、なんかいつもデヴィッドの隣に座ってんな」と連合いも言うほどの数奇な宿命であり、仲がいいんだろうと勘違いしたテリーのワイフがわざわざわたしたちを隣同士にセッティングしていたときは泣きながら笑った。

で、なんでそこまでデヴィッドが苦手なのかというと、まずこの人はめちゃくちゃ保守的だということが挙げられる。というか、はっきり言って右翼っぽい。リベラルを通り越してアナキーと言ってもいいぐらいのブライトンの自由奔放なゲイの友人たちとは、彼の政治・社会に対するスタンスはまるで違う。

熱心な保守党支持者でもあるので、マーガレット・サッチャーを「我々のマギー」とか「我々のマザー」とか呼ぶから、あいつはマギーとかいうかわいいもんでもなければわたしの母親でもない、と呆れていると、胸ポケットからユニオンジャック柄のシルクのハンケチを出してひらひらさせながら「この国には再び強い指導者が必要よ」とか遠い目をして言ったりするし、ヘンリー王子の婚約者のメーガン・マークルの話題になったときには、「いいんじゃない。セクシーだし」と言うわたしに対し、「ええ、とても『カラフル』なイメージの人です。おほほほほ」とか人種差別的なジョークをさらっと飛ばしやがった。

ゲイに右翼がいるわけない、と思っている人々は間違っている。右翼政党UKIPにも同性愛者グループがあるし、そもそも彼らは熱烈な王室ファンであることが多い。実はこれはブライトンのファンキーなゲイの方々にも言えることで、彼らも「キャサリン妃のヘアスタイル素敵」とか「ジョージ王子、かわいいー」とかよく言っているが、デヴィッドはその先をいっていて、一度、英国で最も重要なものは無料の国民医療制度NHS（国民保健サービス）かロイヤルファミリーか、という議論になったとき、「NHSなんていらない。医療が無料でなければばちゃんと働く人が増えて、国の経済のためにもなります。英国で最も重要なものはゼッタイに王室」とのたまいやがったので、大逆罪で投獄されたアナキストの評伝を書いているライターが隣に座っていると知っての狼藉（ろうぜき）かと心中で憤ったこともあった。

当然彼は生粋のブレグジット派であり、「マイノリティーは残留派」「ミドルクラスは残留派」という、世間一般のイメージを粉砕するような存在だ。東芝が英国での原発建設に投資するとわかったときにも、「EUなんていらない。日英同盟の復活です」と言って胸に手を当てじーんとしている様子だったので、どうしても戦争が始めたいんだなこの爺さんは と呆れたことがあった。

　実際、デヴィッドは六十歳を超えた頃から一気に爺さんになった。すらっと長身で、皺深いとはいえ若い頃はけっこう美男だったろうと思える端整な顔立ちなのだが、これがファッションにはうるさいというか神経質なほどで、いつもすごく高そうなスーツを着て嫌味ったらしくアスコットタイを巻いたり、胸ポケットには必ずタイと揃いの柄のシルクのハンケチが入っていたりする。ヴィジュアル的にはスタイル・カウンシル時代のポール・ウェラーが頭をスキンヘッドにしてめっきり老け込んだ姿をイメージしていただけるといい。つまり、けっこう綺麗な爺さんではあるが、イデオロギー的に困るだけでなく、性格もめっぽう悪い。

　昨年だったか、わたしが白いモヘアのセーターを着て彼の隣に座っていたとき、またこれが量販店で購入した安いセーターだったんで抜け毛していたことは確かなんだけれども、そんなに彼に迷惑をかけていたことはないと思うのだが、二分おきに、バン、バン、と自分のスーツ・ジャケットのわたし側のそでをはたく。バン、バン、バン、と無言でそれを繰り返されると隣で飯を食っているほうとしても皿の中に何か落ちてきてんじゃないかと気が気ではないが、あんまり忌々(いまいま)しそうにバン、バン、バン、バン、を繰り返すもんだから、なんかこっちもちょっと弱気になって「ソーリー」と謝ったのだが、彼はわたしをガン無視して眉間(みけん)に皺を寄せ、めっちゃ嫌味な感じに、バン、バン、を反復するのだった。

　金持ちなら高級スーツに毛の一本や二本ついてもどーんと構えてろ、と思うのだが、どうも金持ちに限ってこういうケチ臭さがあるというか、おおらかさに欠ける。あーやだやだ、今年もまた隣に座るんじゃないかと心配で、年が明けた頃からテリーのパーティーの招待状が届くのを暗い心持ちで待っていたのだった。

どうせ隣になるに決まっているのだから、また仏頂面で口も利かずに、バン、バン、バン、をやられても困るので、今年は安物のセーターを着て行くのはやめて、ちょっと寒いけどコットンのシャツ一枚にしよう、と思ったり、どうせ共通の話題がないから、「最近、映画何か見た？」とかいう一般的な話になって、保守党支持者の彼のことだから『ウィンストン・チャーチル　ヒトラーから世界を救った男』を見たら感動したとか言って胸に手を当てて「世界には強いリーダーが必要よ」か何かまた言うに決まってる。ああもうホントに意外性のない爺さん、会話をする前から鬱陶しい人間というのも珍しい、などと思ったりしながら、どっぷりと沈み切った気持ちでわたしはテリーのパーティー会場に着いたのだった。

「一年ぶりー」とか「ハロー、元気だった？」とか、立ち飲みしていた人々に挨拶しながら、奥のテーブルを見れば、まだいくつも席が空いている状態だ。デヴィッドの姿は見えない。

いまのうちに席を取っとけと思って、顔見知りのご婦人の隣に座ると、いつもは同年代の子どもたちと一緒に座りたがる息子が、今年はわたしの隣に座るという。

よし、これで両脇はがっちり固めた。

と思っていると、テリーの妻が見覚えのある帽子を手にしてこちらに近づいてきた。

「これ、君のだったよね」

テリーの妻はそう言って帽子を息子に渡した。

それは数年前に息子がよく被っていたもので、市松模様のスカ風のポークパイ・ハットだった。テリーがDJを入れてパブでパーティーをやったときに、マッドネスやスペシャルズがかかったらデヴィッドが急にノリノリになって「スカ、好きだったんだよー」とか言うので彼の頭に被せてやったら、あんまり嬉しそうにニコニコしながら踊っていたので、ちっ、しゃーねーや、と思ってくれてやった帽子だった。

「デヴィッドの寝室にあったから持ってきたの」

とテリーの妻は言った。

「よっぽど気に入ってたんだろうね」

という彼女の言葉がなぜ過去形になっているのかという理由を、わたしはそのとき初めて知らされたのだった。

それは四カ月前のことだったという。もうこの世にいなくなった人のことをいろいろ想像し、ああでもない、こうでもない、とわたしはくよくよ考えていたのである。

「毎年、必ずあなたの隣に座っていたわよね」

とテリーの妻が目を潤ませて言った。

「いやほんと、なぜかそうだったんですよね」

とわたしは数奇な運命を呪った。

6　現実に噛みつかれながら

エセックス州のパブで飲んでいるときのことだった。

いわゆるベガー（物乞いをする人の意）が、パブの中に入って来て店内のテーブルを回り始めた。

二十代か、ことによるとティーンかもしれない感じの顔に幼さの残る女性だった。彼女は、テーブルからテーブルに移って、飲み客たちに「スペア・チェンジ！（小銭を恵んで）」と言って右手を差し出している。

しばらく英国では見なかった光景だけに驚いた。連合いの故郷のアイルランドではたまにパブやカフェでこういう光景を見ることはあるが、英国でこういったシーンに最後に出くわしたのは、一九八〇年代に語学学生としてロンドンに留学して（というのは名ばかりでへらへら遊びまわって）いた頃のことだ。

さいきん、日本の新聞にコラム記事を書いたのだが、それは英国でホームレスが激増しているという話題で、欧州ではＥＵの緊縮体制によって貧困問題が深刻化していると書いたのだった。すると、担当の記者さんに「でも、数値を見た限り、ＥＵ全体は経済好調なんですよね」

と指摘された。

が、それがまさに現代の欧州が抱える問題なのだ。統計では景気はいいのに、下側はどんどん底の底まで落ちているのである。数カ月前に行ったベルギーのブリュッセルも路上生活者だらけだった。

路上生活者だけじゃない。路上に立って物乞いをする人も、ここ数年、いったいいつの時代なんだよ、というぐらい増えている。こういうのはマーガレット・サッチャーの時代で終わったかと思っていたのに。

「スペア・チェンジ」

さきほどの若い女性が、わたしたちのテーブルに近づいてきて言った。化粧っ気のない青白い顔は乾燥し過ぎて粉をふいたようになっていて、唇の皮がむけている。もとは霜降りグレーだったんだろうが汚れてベージュに近いような色になっているスウェットの上下、寒いのにコートも着ず、よく見れば左右の足に違う靴を履いていた。

サイモンが財布から、あるだけの硬貨を出して彼女に渡した。

「サンキュー・サー」

と彼女は言った。うちの連合いも硬貨をいくつか出して渡している。

「あなたたちに神の祝福を」

彼女はそう言って隣のテーブルに移って行った。

むすっとした顔つきで座っていたサイモンの甥(おい)っ子が口を開いた。

「俺はそういうのは感心しない。渡すべきじゃないよ」

いまどきのヒップスター、って感じの髭面（ひげづら）をしたサイモンの甥っ子は大学生だが、ホームレス支援のチャリティーで熱心にボランティア活動もしている。

「なんだ、おめえ路上生活者を支援してたんじゃなかったのか」

とサイモンが言うと、甥っ子が答える。

「あれは路上生活者じゃないよ。ドラッグやアルコールを買う金が欲しいから物乞いしてるんだ。見ればわかるでしょ。僕たちの団体や、他のチャリティーだって、物乞いには金を渡さないように強く呼び掛けている」

まるで新卒の若者が、会社の新人研修で教わったばかりの企業方針を暗唱するようにサイモンの甥っ子は続けた。

「ベガーの八〇％はドラッグを買うために物乞いをしていると言われている。本当に彼らのことを考えるのなら、金銭を渡すべきではない。彼らの生活を変えたいのであれば、ドラッグのための相談センターやチャリティーに寄付するべきで、いまみたいに金を渡せば、彼らが依存症から立ち直って生まれ変わることを延期する手伝いをしているようなものなんだよ。それでは逆効果なんだ」

彼の言っていることは路上生活者や依存症者のチャリティーのほとんどが主張していることだ。ビッグイシューの創始者ジョン・バードも「（金銭を与えれば）、ベガーたちは卑屈さと被害者意識から抜け出せなくなり、下降のスパイラルに閉じ込められて、自尊心や正直さ、希望が失われてしまう」と言ったことがある。

「まあ理屈でいえばそうなんだろうけどな」

とサイモンは言った。

「お前らの世代は、何でもそういう風に合理的に片付けようとするけど、人間が生きるって、それだけじゃないからな」

おっさん臭いことをサイモンが言うと、連合いが脇から言った。

「けど、よく考えてみりゃ、サッチャーの前の時代までは、純粋なベガーっていなかったよな。路上でカネをくれって言う人々はたくさんいたけど、七〇年代ぐらいまでは、何かと引き換えだったもん。スーツケースを運んでくれたり、怪しげなタバコ売ってたり。物乞いっていうより、路上商売だったよな、あれは」

「いまでも、バカンスで発展途上国に行ったりすると、そんな感じでしょ。わーっと子どもたちが寄ってきて、鞄を運びたがったり、街を案内するとか言ったりして、その対価に金銭を求めて来る。彼らはベガーではない。でも、豊かな国にはベガーがいる。その多くは依存症者なんだということを忘れちゃいけないよ」

と言ってサイモンの甥っ子はラガーをぐいっと飲んだ。

サイモンは義務教育終了後、工場員や店員など仕事を転々とし、海外を放浪したりして好き勝手に暮らしてきたので、家庭を持ったことはないし、彼の知っている限り（男はぜったいに一〇〇％はわからないというのが彼の説だ）子どももいない。実家で両親と暮らしながら、貯金してはアルゼンチンへ、戻って来てはまた働いて資金を貯めて中国へ、というふうに世界中を旅して生きてきたが、両親が数年前に死亡した。そして二年前からは、エセックス大学に進学した甥っ子がアパート代を浮かすために引っ越してきて、一緒に住んでいるのだった。

サイモンの家は生粋の労働者階級だったが、甥っ子の母親にあたるサイモンの妹は大学教員と結婚していて、飛びぬけて裕福ではないにしてもインテリ家庭で甥っ子は育った。だから、地べた労働者のサイモンとは考えが合わないことが多いようで、一緒に食事したり飲みに行ったりすると、だいたいいつも口論をしている。

「そりゃお前の言ってることはだいたい正しいんだろうと俺は思う。でも、気に入らねえ」

とサイモンが言うと、

「好きか嫌いかを基準にして社会について考えちゃいけない」

とサイモンの甥っ子が大袈裟に呆れたような顔をして首を振りながら言った。世代の差、階級の差のせいか、政治理念の点ではほとんどわかり合うことのない伯父と甥っ子なのだが、なぜかこの二人は仲がいい。仲が悪かったら甥っ子も伯父と住みたいなどと言い出さなかっただろうし、サイモンも彼を受け入れなかったろう。

「なんかこう、はっきり言ってリアルじゃねえ感じがするんだよな。いつもお前の言うことは」

などとぐずぐず言い出したのでそろそろおひらきにすることにし、わたしたちは立ち上がってパブの階段を下りた。

さきほどの女性がまだ一階にいて、右手を差し出してテーブルを回っていた。すると、パイントグラスにビールを注いでいた店員の黒人女性がカウンターから出てきて、彼女のほうにまっすぐ歩いて行った。

「あなたにここでそういうことをされると困るんです。わかるでしょ」

店員は、物乞いをしている女性を追い出しにかかっていた。全国どこにでもある大手チェーンのパブなので、マニュアルか何かにそういうルールがしっかり書き込まれているのかもしれない。

長身でがっしりした体格の黒人女性の店員は扉のほうを指さした。縮れた長い髪を後頭部でぎゅっとひっつめたその女性と比べると、ベガーの女性は三分の二ぐらいの体の大きさしかない。彼女が外に出ていくのをしっかり見届けるため、黒人女性は彼女の後ろから出口まで一緒に歩いて行った。階段を下りてきたわたしたちも、少し遅れて二人の背後から出口に向かう。

ベガーの女性は扉を開けて外に出て行く瞬間、黒人の女性を見て

「ファッキン・ニガー」

と言った。

「待ちなさい」

と店員の女性が強い声で言ったので、うわ、これは揉めるな、と思ったが、彼女は冷静な口調で、

「顔を洗って、髪をとかして、相談センターに行きなさい。どこに行けばいいか、わかってる

でしょ」

と言った。そして、ジーンズのポケットからいくつか硬貨を出して、叩きつけるように舗道の上に投げた。歩き去ろうとしていたベガーの女性は、黒人女性の顔を見てから、次に舗道に投げられた硬貨をじっと見つめて躊躇（ちゅうちょ）しているようだったが、やはりそれらを舗道からむしり取るように拾って小走りに店の前から去って行った。

店員はそのまま扉を手で押さえて、微笑しながらわたしたち一行を見送った。「サンクス」「グッド・ナイト」と言いながらわたしたちが外に出ると、最後に出て来たサイモンの甥っ子が言った。

「あなたはあんなことをするべきじゃなかった」

義憤にかられて何かを言わずにはいられない、という感じの硬質の声だった。

「……あなた、私がそれを知らないとでも思っているの？」

黒人女性はサイモンの甥っ子のほうをまっすぐに見て言った。

「私もあそこにいたことがあるのよ」

そう言い捨てて彼女は踵（きびす）を返して店内に戻って行った。

「私もあそこにいたことがある」という英語の表現は、「私もその立場だったことがある」という意味である。そういう人が、まるで犬に餌を与えるように舗道にコインを投げたのは、何かの考えがあってのことだったのか、それとも人種差別的な言葉を言われたことに対する怒りだったのか。サイモンの甥は憤然とした目つきで扉の前に仁王立ちしている。

サイモンが甥っ子のほうに近づいて肩を叩いた。

「まあまあ、落ち着いて。いろんな考えをもって、いろんなことをする人間で世の中はできているんだよ。よっしゃー、もう一軒行くかな。パーッと陽気に行く?」

とサイモンが言うが、うちの連合いは、

「いや、俺はブライトンまで運転しなきゃいけないからぜんぜん飲めないし」

と仏頂面で答えるし、サイモンの甥っ子も無言でずんずん前を歩いて行く。

通りの端まで歩くと、角の酒屋から見覚えのある女性が出て来た。さきほどのベガーの女性が、まったく悪びれた様子もなく、顔色一つ変えずに路上でジンをラッパ飲みしながらわたしたちの脇を通り過ぎて行った。

「リアリティ・バイツ」

とサイモンの甥っ子が皮肉な声でつぶやいた。

そう、わたしたちは、ときにこうして真正面から現実に噛みつかれる。

「そーいや、そういう題名の映画あったな」

「おー、ウィノナ・ライダー、かわいかったよなあ。まだ万引きで捕まる前」

「いやおめえ、ウィノナはけっこういまもいける」

気の抜けた会話をしながらへらへら歩くおっさん二人の前を、哲学者のような表情をした青年が青白い冬の月を見上げながら歩いていた。

7 ノー・サレンダー

「AUSTERITY MEASURES（緊縮策）！」

という言葉が英国のストリートのあちらこちらで聞かれるようになってかれこれ八年が過ぎた。

二〇一〇年に保守党が政権を握ってから、緊縮財政と呼ばれる悪名高き政策を始め、これが何なのかと言うと、一言でいえば「国の借金が膨れ上がってますから、返さないと我々はえらいことになります」と人民を脅して政府が様々な分野での財政支出を削減することだ。つまり、政府が末端庶民のためにカネを使わなくなるということであり、例えば、英国の地方の町ではインフラ投資が長年行われていないために「アンティークをインフラに使うな」というジョークが流行している。病院や学校も規模縮小と人員削減の一途を辿り、地元の公共の建物が続々と閉鎖になっている。

お金持ちの人々はこうした公共サービスを使っていないので、緊縮財政が大規模に行われようとも痛くも痒くもない。彼らは病院も学校も私立のものを利用するし、福祉の助けも要らない。この政策の影響をモロに被ってしまうのは、いわゆる労働者階級、つまり我々である。

わたしが住んでいる公営住宅地ひとつとっても、この八年間でのコミュニティーの変容には目を見張るばかりだ。まず、最初に潰れたのがわたしの職場であった無料託児所だった。潰れたっていうのは語弊があって、正確にはフードバンクになったのだが、このあたりのことは『子どもたちの階級闘争』（みすず書房）という本に詳しく書いているのでここで語るつもりはない。で、その託児所のちょっと後に無くなったのはチルドレンズ・センターだった。

チルドレンズ・センターというのは、前の労働党政権が全国で貧困率や失業率が特に高い地域を選んで建てた施設であり、育児教室や託児室、子ども健康相談室、メンタルヘルス相談室、無料の玩具レンタルサービス、カフェなどの様々なサービスを提供する、地域のハブのような役割も果たす場所でもあった。うちの地区にあった同センターも、こんな貧乏くさい街にどうしていきなりこんなモダンな建物が立っちゃったかなというぐらい立派な施設で、界隈のさびれた風景から完全に浮きあがっていたが、保守党政権になったらあっさり閉鎖になった。その後、民間に売却され、いまはミドルクラス向けのマンションになっている。引き続き、ティーンがユースワーカーの人々と一緒にスポーツをやったり、ストリートダンスを習ったりできるユースセンターも閉鎖になった。

そしていよいよ、最後の砦（とりで）かと思われた図書館が閉鎖になった。マジで政府はこの貧民街を見捨てる気だな。と思った。

愚衆階級は本なんて読まないだろ、とお上は思っているかもしれない。だが彼らは知らないのだ。無職の期間の長かった労働者の中には、暇を持て余している間に図書館に通いつめて本を読み、特定の分野に無駄なほどの知識を蓄えたオタクというか、エリック・ホッファーになり損ねた素人研究者たちがいることを。

その一人であるスティーヴは、図書館閉鎖のニュースをパブで聞いて鼻血を出すほど激昂（げっこう）し、軽いうつ状態にまで陥った。彼は週に五日は大型スーパーのシフト勤務をこなしながら高齢の母親の面倒を見ているが、在宅ケアの人が来てくれる日だけは近所の図書館に行って本を読むことを生きる愉しみにしていた。

以前から彼は保守党の緊縮財政には反対だったが、生活がダイレクトに侵害されると人は本気になる。彼はもともと、わが貧民街の片隅に住んでおられた中国系移民の家に地元ティーンが嫌がらせを始めたときにおっさんパトロール隊を組織したぐらいの行動派だ。地方自治体や地元議員に抗議状を送ったり、地方紙の「読者からのお手紙コーナー」に図書館が使えなくなるおっさんの悲哀を切々と綴（つづ）って投稿したり、保守党党大会会場に行って生卵を投げたりしてプロテストを続けたのだったが、緊縮政策の巨大な歯車は止まらない。昨年（二〇一七年）の秋、ついにわが貧民街の図書館は閉鎖になった。

しかし、お上はこのような状況にあっても「閉鎖」という言葉は使わない。「図書サービスはコミュニティーセンター内に移転」などという姑息（こそく）な表現で同センター内に図書室が設けられたかのようなことを吹聴したが、このコミュニティーセンターというのがまたしょぼくて小さな建物だ。しかも、半分は民間企業に売却されてフィットネスジムになりやがっている。あんな狭い施設のどこに図書室ができてるんだろうと行ってみれば、地元のお母さん、お父さんたちと乳児・幼児が使える子ども遊戯室の隅っこのおよそ六畳ぐらいのスペースに段ボール箱が並べられ、中には子ども向けの絵本が入っていて、脇のテーブルにデスクトップのコンピューターが一台。図書室というより、野外マーケットの古本市みたいだが、これがいまや貧民街で唯一の公共の図書サービスなのだ。

「愚民政策だな」とスティーヴは言った。

「EU離脱投票のときは、労働者階級をバカだの無知だのさんざん言ったくせに、政府はさらに俺らの頭を悪くしようとしている」

彼の言うとおり、子ども遊戯室の片隅の段ボール箱の中には、大人向けの本は一冊もなかった。これはスティーヴのみならず、わたしだって切実に困る。なんとなれば、英国の書籍は高い。日本みたいに、文庫とか、新書とかいう手ごろな値段の本がないからである。ハードバックなんか買おうものなら三千円ぐらいはざらにするし、ペーパーバックでも千円は下らない。

「マジでやめてほしいよね。こういうこと……」

とわたしが言うと、スティーヴは答えた。

「俺は諦めない。意地でも公共の図書サービスを使い続ける」

その言葉どおり、スティーヴは粛々と子ども遊戯室に通いつめた。と言っても、いくら何でも絵本を読み耽(ふけ)っているわけではない。図書館システムのデリバリーサービスを利用しているのだ。わが街のコミュニティーセンターも、一応、市の図書サービスの出先として登録されているので、市民が読みたい本を注文すると、図書館から本が配達される仕組みになっているというのだ。

そんなわけで、「ノー・サレンダー（降伏しない）」のブルース・スプリングスティーンみたいな精神をもってスティーヴは新図書室、ならぬ子ども遊戯室で本を読んでいる。

想像していただきたい。やたら長身のスキンヘッドで眼光鋭いおっさんが、真冬でも半そでのTシャツ一枚で、中途半端な丈で折り返したスリムのジーンズにドクターマーチンのブーツをはき、子ども遊戯室の一角のテーブルに陣を取り、むっつり読書している。そのテーブルの前や脇には、だあだあ言って涎を流しながらゴムのボールを転がしているヨチヨチ歩きの赤ん坊、おもちゃの鍵盤を手の甲でばんばん叩きながら「とぅっとぅららー、べりろろ、ひゃー」と意味不明のソングを作曲している幼児、その背後で母乳を与えられているベビーは、急に乳頭から口を離してスティーヴのほうを向き、つぶらな瞳で彼を見ながらきゃっきゃっと笑っている。

それでも眉間に皺を寄せて読書している彼の姿を見たときは、これが緊縮財政に抗う民衆の姿か。と深い感銘を受けつつ、堪えきれずに笑ってしまったが、彼一人に抵抗を任せるわけにはいかない。志を同じくする反緊縮派のわたしも子ども遊戯室にラップトップを持ち込んでスティーヴの隣で仕事をしようと試みた。

が、不可能だった。まずノイズが気になる。ものすごいスピードでハイハイしながら赤ん坊がパトカーの玩具をプッシュするときのガーッ、ガーッというタイヤの音には、ひよんひよんひよんというけたたましいサイレンの音まで重なる。ままごとセットのフライパンを取り合って互いに叩き合い、ぎぃいーっと奇声を発したり、ぎゃあああんっと泣き出したりする者たちも隅にいるし、おとなしく一人で遊んでいる赤ん坊がいるなと思っていると五ペンス硬貨を拾って丸飲みしそうになったりしているので、あちらこちらの現場に全力疾走で駆けつけてしまうわたしは、すっかり忘れていたが、実は保育士なのだった。

「ダメ。気が散って、わたし、ここじゃ仕事がはかどらない」

ふらふらしながら、スティーヴのほうを振り向くと、彼がいない。あれ？　と思って見回すと、子どもを抱いたお母さんの図書館カードにバーコード・リーダーを当て、絵本を貸し出ししている。

ここにも一応、係員はいるのだが、これまた緊縮政策の一環というか、子ども遊戯室の担当係員が図書サービス業務も兼任しているという有様で、こんなにいろんなことが起きている部屋であるにもかかわらず、働いている市の職員が一人しかいない。見かねたスティーヴは、そのうち貸し出し業務とかを手伝っていたそうで、そう言えばここに来ているお母さんたちも、「ハイ・スティーヴ！」とか言ってすっかり彼に馴染(なじ)んでいるというか、常連さんたちに信頼さえされている感じなのである。

「まったく落ち着いて本も読めやしねえ」

と苦々しい顔つきで本人は言っているのだが、コワモテなわりに根が気さくなおっさんだけに、

「今度はどの本を読み聞かせしたらいいかな……」

と絵本を選びながらママ友同士が喋(しゃべ)っていると、
「ミッフィーの新しい本が入っているよ」
とアドバイスしたり、双子の赤ん坊の片方のおむつを替えていたらもう一人がぎゃんぎゃん泣きだして困っているお母さんがいると、すっと立って行って泣いている子を抱いてやったり、怖い顔して座っているわりには、近年にないほどスティーヴが活き活きして見えるのである。わたしの見間違いかもしれないが。

そんなこんなで閉室の時間が近づき、市の職員が「来週はイースター休暇でコミュニティーセンターは閉まっていますから、気を付けてくださいね」と呼びかけていた。と、帰り支度をしていた母親の一人が女児に大きな箱を握らせた。三歳ぐらいの女児が、自分の頭の二倍ぐらいありそうな箱を持ってトコトコとこちらに歩いてくる。彼女は、その箱をスティーヴに渡した。

「俺に?」と本から顔を上げてスティーヴが言うと、女児が頷(うなず)く。室内の母親たちがこちらを見て意味ありげに微笑している。

「イースター・エッグ!」

と女児は元気よく言った。水玉のラッピングペーパーで包まれたその箱は、確かにそんなふうな形状をしていた。英国では、イースターになると、チョコレートでできた大きなイースター・エッグを家族や大切な人に贈る習慣がある。

「サンクス」と仏頂面でスティーヴは言った。

包みにセロテープでピンク色の封筒が貼ってある。スティーヴがそれを開けると、中からヒヨコのイラストがついたファンシーなイースター・カードが出て来た。

「私たちのおじいちゃん、スティーヴへ。いつもありがとう」と書かれていた。

「誰がファッキンじいさんだ？　くそったれ」

不機嫌そうにスティーヴが言うと、係員もお母さんたちも一斉に笑った。箱を持ってきた女児も小さな両腕でスティーヴの脚を抱き、彼の顔を見上げながら笑っている。

スティーヴはまた怖い顔で本を読み始めた。一心に活字を追っている灰色の三白眼(さんぱくがん)が、心なしかぐじゅぐじゅになっているような気がしたのだが、これもまた、わたしの見間違いかもしれない。

8　ノー・マン、ノー・クライ

夫婦喧嘩は犬も食わないというが、わたしはけっこう食う。

とくにこれが、カップルの双方をよく知っていて、双方を同じぐらい好きだったりすると、どちらの言い分もわかるし、ああ、この人ならこういう考え方をするだろうなとか、他方でこっちはそういう受け取り方をしちゃう人だもんなとか、両側から理解できるだけにつらい。何がつらいのかといえば、人間というものは、互いのことをまだ好きでも、もうあかんときがあるからだ。

そんなわけで、さいきんヤバい感じなのが、レイとレイチェルだ。仲間うちではシンプルに「レイズ」と呼ばれるこのカップル、結婚はしてないので厳密には夫婦ではないが、過去七年間、パートナーとして暮らしてきた。で、三十代のレイチェルはロンドン東部に二軒の美容院を経営するやり手の美容師であり、ケバいが別嬪（べっぴん）のビジネスウーマンだ。他方、レイは彼女がそれぞれ違う相手との間に産んだ三人の子どもたちの面倒を見ながら、主夫業をしている六十代のおっさんだ。連合いをはじめとするレイの友人たちに言わせれば、「うらやましすぎ」「嘘のような本当の話」「いつかバチが当たる」というような関係である。

その二人の間に亀裂が入ったのは、第一話に書いたようにEU離脱投票でレイが離脱票を入れたときだった。残留派のレイチェルが激怒して家庭で口論が絶えず、子どもたちの性格も暗くなるなど深刻な状況になったこともあったが、レイが「平和」（実際にはどう見ても「中和」になっちゃってるのだが）という漢字のタトゥーを腕に彫り、歩み寄りの意志を見せたことによっていったんは持ち直した。が、さいきんまたも二人の間に暗雲が垂れ込めている。

「家庭と仕事とどっちが大事なんだとか言われる」

とレイチェルは言った。

「レイズ」の仲が険悪、というか、もはやその状態も通り越して冷めきったものになってしまっていることは、良く晴れた初夏の週末、子どもたちを連れてブライトンの浜辺に遊びに来たときの二人の様子から明らかだった。なんかもう、言い合いもしないし、互いを無視すらしていない。通りいっぺんの人工的な「グッド・ペアレンツ」を演じている姿が凍てつくほど寒々しいのである。もう彼ら、ダメなんだろうか。

レイと子どもたち&うちの連合いと息子がジップライン（木々の間をワイヤーロープで滑る遊び）のために遊びに行っている間、カフェでレイチェルから話を聞いたところによると、彼女の不満はこうである。二軒の美容院を繁盛させたレイチェルは、三軒目を開く計画を立てており、従って非常に忙しい。高い能力と野心、努力を惜しまない勤勉さ、ジムで鍛え上げたタフな体を持つレイチェルは、はっきり言ってネオリベ、というか新自由主義の申し子と言ってもいい。

よって向上心のない人とは気が合わないタイプだが、レイと出会った頃は子どもたちも小さかったし、保育やベビーシッター代がかさんでいた時期だったので、育児に慣れていて主夫業も厭(いと)わない気のいいおっさんは、そのときの彼女が必要としていた存在だった。

だが、レイが「週末は俺たちと一緒に過ごせ」だの「家族のためにもっと早く仕事から帰ってこい」だの言い出したので、ウザくなってきた。レイに言わせればレイチェルは働き過ぎであり、家族や自分のライフを犠牲にしてまでビジネスを広げる必要はないと主張するのだった。

彼らの労働に対する考え方の違いに、六十代のレイと三十代のレイチェルの世代差というものがくっきりと現れている。レイやうちの連合いの世代は、まだ英国が「ゆりかごから墓場まで」の福祉社会と呼ばれていた頃に社会に出た人々だ。「ハマータウンの野郎ども」は反体制的な不良少年たちだったけれども、なんやかんや言って不良たちには国のセーフティ・ネットがあったのだ。失業すればつるっと簡単に失業保険が出たし、怪我や病気をしてもNHS（国民保健サービス）で無料で治療してもらえるし（当時はいまと違って処方薬まで無料だった）、学費も無料だったので行こうと思えば大学にだって行けた。労働組合の力が強かった頃だから、現在と比べると労働者の態度もずっとデカかったのである。

「イングランドには僕を食べさせる義務がある」

と歌ったのはザ・スミスのモリッシーだが、中高齢の人々はそういう考えが通用する時代に大人になった。彼らにとっては、労働とは生活資金を手に入れることで、九時から五時まで真面目に働けば（モリッシーはそれさえ拒否したが）、後はパブに行ったり、休日は家族で出かけたりしてプライベートを楽しんでも、生活に不安を感じることはなかったのである。

しかし、ブレア政権の「第三の道」時代に育ったレイチェルは違う。こちらはもうコテコテに新自由主義のメリトクラシー（能力主義）一色の英国しか知らない世代だ。だから彼女にはレイが覇気のないダメなおっさんに見える。

「労働者階級の人間は、仕事があって、快適で清潔な家に住めて、年に二回旅行ができればそれで満足なんだ、とかレイは言うけど、それって向上心がなさすぎだし、甘い。そんなことを言っていると、いまの時代はどんどん生活水準が下降して、気が付いたら下層に落ちている」

レイチェルはそう言った。これは、いわゆるあれだ。ブレグジットやトランプ大統領誕生で話題になった「中間層が抱える不安」ってやつ。労働者階級出身のレイチェルには、生活保護で子どもを育てているシングルマザーの友人もいるらしい。そんな友人たちは、緊縮財政でますます追い詰められているため、お金を貸したりしているそうで、自分も一歩間違えばそこに落ちるという不安は濃厚にあるという。

「もう年だからなんだろうけど、彼には野心がなさ過ぎて、子どもたちにも悪い影響を与えそう。だいたい、子どもたちも十代にもなれば、友だちと一緒に街に行ったり、映画を観たりしたいわけでしょ。それを今日だって、家族でブライトンに行くぞとか言い出して、あたしには仕事があるって言えば怒るし」

レイチェルはため息まじりに言った。

英国人は働かないというのはもはや幻想だ。英人材開発研究所（ＣＩＰＤ）が、千二十一社、四百六十万人の英国人従業員を対象に行った調査で、二〇一〇年には「体調が悪くても出勤する」と回答した人は二六％だったのに対し、最近の調査では約三倍の七二％に増加している。こうした変化は、体調が悪くても働かなければならないというプレッシャーを感じる人が急増していることを示す。

さらに、雇用主となると、実に八六％が「体調が悪くても出勤する」と答えている。経営者であるレイチェルが、週末の稼ぎ時に働きたいと思うのもこうした数字を見れば当然のことなのだろう。

「価値観が違い過ぎる。他のことなら我慢できても、仕事のことだけは譲れない。第一、三人の子どもたちとレイの暮らしはあたしのビジネスにかかってるのに、ちっとも協力的になってくれない」

足手まとい、という言葉を、協力的でない、と言い直しているような冷たい声の響きだった。

ふっと、日本の人と尾崎豊の話をしたときのことを思い出した。尾崎豊は盗んだバイクに乗って学校のガラス窓を打ち割って回っても、その気になれば大学に行って就職して家庭を築けた経済成長の時代の若者だったのであり、就職氷河期を見て育ち「もはや経済成長はあり得ない、世界は資本主義からのソフトランディングの位置を探している」なんて縮小社会言説がまことしやかに語られている時代の若者たちが天真爛漫にガラス窓を打ち割るわけがない。みたいなことをその人は言っていたのだが、これはハマータウンのおっさんたちと英国の若者たちの関係にも似ている。

「額に汗して働けば報酬が得られる」みたいな生き方は退屈だと反抗する若者たちがカウンターカルチャーを盛り上げた時代と、「額に汗して働いても報酬が得られるかどうかわからない」歩合制やゼロ時間雇用契約が横行する時代。少しぐらい道を踏み外しても制度で保護された若者たちと、競争競争競争と言われて負けたら誰も助けてくれないばかりか、「敗者の美」なんて風流なものを愛(め)でたのももう昔の話で、負けたら下層民(チャヴ)にしかなれない若者たち。

　おとなしく勤勉に働けば生きて行ける時代には人は反抗的になり、まともに働いても生活が保障されない時代には先を争って勤勉に働き始める。従順で扱いやすい奴隷を増やしたいときには、国家は景気を悪くすればいいのだ。不況は人災、という言葉もあるように、景気の良し悪しは「運」じゃない。人が為すことだ。

　そういえば、レイがEU離脱に投票したとき、「EUのやり方にはファック・オフだ」と言っていたら、レイチェルが「ファック・オフとか言っててもしょうがないでしょう。うちの店は美容師も客もほとんどがEU移民なのよ。あたしのビジネス潰れたらどうしてくれるの」と叫んでいた。二人の間に流れる川は深くて暗い。

「あたしはただ、もっと働きたいの」

　とレイチェルは言った。彼女は休みたくない、のんびりしたくない、家族でほのぼのとかしたくないのだ。もっと上にのぼりたい、というか、正確に言えば下に落ちるのが怖いのだ。

　そんなことを考えながら窓の外に目をやると、レイと子どもたち、そしてうちの連合いと息子が歩いてくるのが見えた。みんなソフトクリームを舐めながら歩いていて、レイは次女のピンクの水玉の帽子を被り、顎鬚に白いアイスがべっとりついている。

彼らが歩いてくる方向を見ていたレイチェルが、ゆるい動作で、でも意識的に首を振り、目を背けた。そしてバッグに手を突っ込み、スマホをチェックし始める。子どもたちを連れて入ってくるレイのことなどもう見ていない。

「鬚、アイスクリームがついてるよ」

とわたしがナプキンを渡すとレイが、ああ、と言って顎を拭った。レイチェルは一瞥もせずに一番下の子に「楽しかった?」と話しかける。黒人の父親を持つ一番下の子の縮れた巻き毛にレイチェルは指を這わせ、優しく頰にキスした。ジムのインストラクターだったこの子の父親がとんでもない女たらしで金遣いの荒いイケメンだったので、心身ともに疲れ果てていたときに、彼女の前に現れたおっさんがレイだった。人生のその地点では、彼女にはレイがちょうど良かったのだ。だけど、その地点をもうレイチェルは通り過ぎてしまった。

「さ、車が渋滞する前にロンドンに帰りましょうね」

レイチェルは子どもたちのほうを向いて言った。

「帰りは俺が運転するよ」

とレイが言うと、

「いや、大丈夫、あたしが運転する。あんたはゆっくり座ってて」

とレイチェルが答えたが、その過不足ない人工的な笑顔と声音にぞっとするような距離を感じた。

ノー・ウーマン、ノー・クライ、ノー・ウーマン、ノー・クライ。ボブ・マーリーがそう反復する歌が店内に響いている。

「サンクス。じゃあ年寄りは楽させてもらうよ」

つとめて陽気にレイが答えた。

ノー・ウーマン、ノー・クライ、ノー・ウーマン、ノー・クライ。赤い口紅を塗りなおして立ち上がったレイチェルは、やっぱり圧倒的な若い美人だ。その後ろから歩き出したレイの笑顔が、濡れたビール瓶から剝げかかったラベルみたいによれていた。

泣きたいのは、きっとおっさんのほうだ。

9 ウーバーとブラックキャブとブレアの亡霊

ブラックキャブと言えば、言わずと知れたロンドン名物のタクシーである。あのコロンとした丸いレトロな車体と粋なコックニー英語を操る運転手。わたしなども八〇年代に最初に英国でブラックキャブに乗ったときは、「ああ、わたしはほんとうにロンドンにいるんだ」とわけもなく感動したものである。

が、このブラックキャブがいま、「邪悪なナショナリズムと排外主義」の象徴と見なされかけている。ことの発端は、配車サービス、ウーバーの英国進出だった。ウーバーというのは、米国のウーバー・テクノロジーズが運営する自動配車サービスまたは配車アプリであり、一般の人々が自分の車を使って人を運んで収入を得ることができる。ウーバーのサイトにドライバー登録を行っておけば、利用者がサイトから予約を入れるのだ。利用料も通常のタクシーより二割から三割安く、スマホで近くにいるドライバーを見つけてタップするだけで車が呼べる気軽さもあり、めきめきシェアを拡大した。手軽、早い、安いの三拍子が揃えばタクシーの市場を奪わないわけがない。

だが、客を奪われて面白くないのが昔ながらのブラックキャブの運ちゃんたちだ。こちらは

「世界で最も難しい」とも言われる試験にパスしてブラックキャブを運転するプロのドライバーたちだ。彼らは、ロンドン市内約二万五千のストリートと、約十万の名所・建物・施設の位置を全て覚えて筆記試験に挑む。また、それ以上に難しいという口頭試験では、面接官がランダムに上げる二つの地点の最短ルートを答え、そのルート上の全ストリート名や交差点などを即座に答えねばアウトだという。この試験にパスするには何年もかかると言われ、脱落率七割という、激烈に大変な試験だ。

ところが、彼らが苦労して覚えたすべての情報をウーバーのドライバーたちはスマホのアプリで一瞬にして入手する。彼らは空いた時間を使って小金を稼ぐバイト感覚で車を運転していることも多く、そんな素人にごっそり客を持っていかれ、しかも、タクシー界の価格破壊まで起こりそうな状況なのだからブラックキャブの運転手たちの危機感は半端ない。

ブラックキャブとウーバーの運転手たちには、人口統計上の違いがある。ロンドン交通局の統計によれば、ブラックキャブ運転手の総計二万四六一八人のうち、約六七・二%が白人のイギリス人だ（二〇一七年二月八日現在）。が、ミニキャブとウーバーの運転手は総計一一万七八五七人のうち、白人のイギリス人はわずか七〇九七人（約六%）という調査結果が出ている。

つまり、ブラックキャブVS.ウーバーのタクシー戦争に、昨今話題の「グローバル経済の歪み（ゆがみ）によって生ずる英国人と移民の対立の構図」が、わかりやすい形で顕現しているのだ。実際、ウーバー運転手に対して人種差別的言葉を吐くブラックキャブ運転手が問題になったり、ウーバー規制を求めてブラックキャブが道路封鎖運動を行ったときも英国旗を掲げたりして「右翼的」と批判された。ＥＵ離脱投票でもブラックキャブ運転手の大半は離脱派だった。

しかし、どんなクラスタにも少数派はいる。うちの連合いの古くからの友人、テリーは、ブラックキャブの運転手だが残留派である。彼は祖父の代からの生粋の労働党支持者で、とくにブレア元首相のファンだった。ブレアといえばいまでは新自由主義の権化のような、現在の英国の格差や分断を生んだ張本人のような扱われ方をされ、昨年、「英国のＥＵ離脱を撤回するために政界復帰する」と宣言したときも、「もう戻って来んでええ」「そもそもの諸悪の元凶はお前」とほとんどの英国の人々から総スカンされた。しかし、テリーはブレア復帰の可能性にワクワクしていたようで、「みんな彼の功績を忘れすぎ」と言って寂しそうにしていた。

テリーに言わせれば、ブレアの功績とはメリトクラシー（能力主義）社会の確立である。多くの人々が「ブレアはあかんやった」という理由で彼はブレアを支持しているのだから、これはもう筋金入りのブレア派だ。実際、ブレアの時代に成功した人はたいていメリトクラシーが好きである。

「俺は別にウーバーもいいと思うんだよね」

みたいなことをさらっと彼は言ってしまうのだが、実はもう半隠居の身分で、週に二日しかブラックキャブには乗っていない。

ティーンの頃は、連合いの友人の輪の中でも、もっともワルかったそうで、セカンダリー・スクールも最終学年でドロップアウト（退学）、地元のパブやナイトクラブに勤務したり、ちょっとここには書けないような仕事もして不良街道を歩んだが、三十歳手前で改心し、一念発起してブラックキャブの試験を受けて見事合格した。その頃に彼を支えてくれた彼女が金融街シティの銀行に勤めていた女性で、その後、結婚し、エセックス州の美しい田園地帯にいかにもミドルクラス風の邸宅を購入して住んでいる。他にもフラットを二軒所有し人に貸したりしているので、テリーはもう働く必要はない。そんな彼が、「ウーバーもいいじゃん」とか言いながら、美しい自宅の庭の芝生の上でバーベキューを焼いているのだから、ブラックキャブ運転手の同僚は怒りの表情を隠せない。

「ふん。もう他人事だもんな、おめえには」

と言われ、テリーは微笑しながらラム肉を裏返している。今日は毎年夏になると彼が自宅の庭で開く恒例のバーベキュー・パーティーなのだった。夥しい量のアルコールと肉が振る舞われ、テリー一家の友人、近隣の人々などざっと五十人ほどが招かれている。

「けど、ウーバーって去年、ロンドン交通局が安全上の懸念を理由に、営業免許の更新をしないって決めたんじゃなかった？」

ちょっと焦げたラム肉を紙皿に受け取りながらわたしが言った。

「おお。でもウーバーがその決定に控訴しているから、判決出るまで営業できるし、控訴なんて何年もかかるから、全然何も変わってない」

憎々しげにテリーの友人が言う。

ウーバーを使い続けたい人々やウーバー運転手ら五十万人が、ロンドン交通局のウーバー禁止に対して抗議の署名を行い、嘆願書を提出したが、ロンドンのカーン市長は「その怒りはウーバーの運営側に向けられるべき」と発言している。ムスリムのロンドン市長として話題のカーンも、彼が所属する労働党の党首コービンも、この問題ではウーバー禁止を支持している。

これなど、右と左の区別が昔のように単純にはできなくなった一例だろう。アイデンティティ政治的には、移民の運転手が多く、国家単位の規制なんてぶち壊せ、みたいなウーバー側を「プログレッシヴ」で「左」の政党は支持しそうなものだが、「Mr.マルキシスト」の異名を持つコービン率いる労働党は、「ちょっと待ちなさい。プログレッシヴということは、いろんな国に入って行ってローカルに定められた雇用や安全のルールを無視して我勝手に商売を展開し、地元のビジネスを荒らし、労働者の賃金や雇用待遇を押し下げることとは違いますよ」と言っているのである。

ウーバーは言ってみればゼロ時間雇用契約と同じようなもので、フレキシブルな雇用なので、雇用者への福利厚生もない。ようやく最近、長時間運転しているドライバーには産休と傷病手当を出すみたいなことを言っているが、ここら辺がたいへんにグレーで、車両予約や支払いなどすべてスマホでやるんだから管理は不要なのに、二五%の手数料をドライバーからしっかり取っており、諸経費を引くと最低賃金割れになっている運転手もいるという。

「ウーバーは悪しきグローバリズムの象徴。ロンドンでのさばらすわけにはいかねえ」

同僚がそう言うとテリーが答える。

「いやーもう、時代が違うんじゃねえの？　労働者の待遇大事とか言って国を閉ざしてると、世界に置いていかれるもの」

「おめえらの言う『国を開く』ってことは、国内の労働者を困窮に導くってことなのか」

「けど、困窮しない労働者もいるもん」

「それじゃ困窮する奴としない奴の差がどんどん開いていくだろ」

「だって平等なんて狭い場所限定で目指さないと、世界中を平等にするとか無理じゃん。だから国を閉ざそう、参入禁止とか言い出すんだろ。それ後ろ向き。グローバルに行かないと」

「だから、グローバリズムじゃもうダメなんだよ」

「何アホなことを……。もう止まるわけねえじゃん」

「労働者が最賃割れになっても？」

「うん。だって最賃割れにならない人もたくさんいるから」

堂々めぐりの議論を続けていた二人のおっさんたちだったが、いつしか夜も更け（とは言っても、六月の英国は夜十時ぐらいまで明るいので更けた感はあまりないが）、テリーの友人が終電を逃すので帰ると言い出した。テリーの息子がスマホでタクシー会社に電話し、駅までのタクシーを捕まえようとするのだが、金曜の夜なのでタクシー会社も忙しく「すぐ来て」予約ができない。

大学生のテリーの息子はしゃかしゃかスマホを操って、

「お。ウーバーが近くにいるよ。二分で来られる位置」

と言い出した。

「バカ野郎、よりにもよって俺がウーバーに乗れるか」

テリーの同僚は顔を真っ赤にして激昂（げっこう）した。が、終電を逃すと帰れないという現実に負け、あれだけ罵倒していたにもかかわらず、ウーバー・デビューを果たすことになってしまった。あっと言う間にテリー宅の門の前にやってきた一般車の運転席には、頭部にヒジャブを巻いた運転手が座っていた。

ムスリムの女性ドライバーである。

「おめえ失礼なこと言うなよ。酔ってるから心配だなあ」

とテリーが言うと友人が答えた。

「俺を見くびるな。同業者には失礼なことは言わない。ファックなのはウーバー社だ。末端のドライバーじゃない」

「『女はやっぱ運転が下手』とか『外国人は道を知らない』とか、そういうこと、言うんじゃねえぞ」

「心配すんな。俺はそういうことは言わない。ジェントルマンだから。最賃割れかどうかは聞くけど」

と言いながら、テリーの同僚は門の外に出て行って、ウーバー車の後部座席に乗り込んだ。

英国人のブラックキャブ運転手が、ムスリム女性が運転するウーバー車に乗って走り去って行く姿は、時代を端的に象徴しているなと思いながら走り去る車を見ていると、テリーが言った。

「無人車が走る時代になりゃ、どっちも失業だよな。こういう揉め事もあったよなあ、と振り返る遠いメモリーになるさ」

達観したことを言うのでわたしはつい言った。

「あんたはもう半隠居の身だからそんな優雅なこと言えるのよ」

けけけけっとテリーは笑ってから言った。

「でも、俺はいまでも信じてるよ。『Things Can Only Get Better』」

この曲の題名は、いまだに彼の口癖なのだった。もちろんハワード・ジョーンズのほうではない。ブレア率いる労働党が一九九七年の総選挙でテーマ曲に使ったディー・リームのほうだ。

物事は良くなるしかない、か。

気が抜けて苦いだけになったビールをわたしは飲みほした。

バーベキューの焼き網の上には、真っ黒な死骸と化したラム肉が、もう用済みって感じで脇にこんもり積み上がっていた。

10　いつも人生のブライト・サイドを見よう

一周忌。と日本語で言うと、黒い喪服や線香の匂いが漂うような言葉の響きだが、ではこれを英語にすると何になるのかというと、「アニヴァーサリー」である。

そんな松任谷由美の歌のタイトルみたいな、白いワンピースを着たモデルがプラチナの指輪をはめて海辺で微笑(ほほえ)んでいるCMみたいなちゃらちゃらした言葉で故人の命日を表現していいものだろうか、と日本人のわたしなんかは思ってしまうが、ダニーの一周忌の招待状にも「ファースト・アニヴァーサリー」と書かれていた。しかも、パブの中庭を借り切ってW杯のイングランド戦を見ながら故人の一周忌をやるという。

ダニーはフットボールが好きだった。W杯やユーロの時期になると車のてっぺんの四隅に聖ジョージ旗をはためかせ、家の窓にも大判の聖ジョージ旗をぶら下げ、飼っていたブルドッグにまでイングランドのユニフォームを着せていた。

ダニーの「ファースト・アニヴァーサリー」を企画したのは、彼の妹のジェマだ。ジェマは夫や子どもたちと一緒にダニーの家の近所に住んでいた。

というか、もともと彼らはロンドンのイーストエンドで暮らしていたが、今世紀に入ってから、エセックス州に家を購入して移住した。移住のきっかけになったのは、彼らの両親がロンドンの家を売って、エセックス州のキャンベイ・アイランドに小さな平屋を買って住むことに決めたからであり、独身で親と一緒に暮らしていたダニーも両親の新居に移り住み、彼と両親の介護をシェアしていたジェマの一家も近所に家を買って引っ越したのだった。

ロンドンは、英国人よりも移民の数のほうが多い都市だ。で、これは単に移民が増え続けているからではない。英国人がロンドンの外側に出ているからだ。とくに高齢者は住宅価格が高騰しているロンドンの家を売り、地方に安い家を買って引っ越すことにより余ったお金を老後の資金に充てる。ダニーの両親はその典型例だった。

その地方の街のど真ん中にジェマが予約したパブはあった。エセックス州は彼らと同じようにロンドンから引っ越してきた英国人が圧倒的に多い。去年、地元の教会で行われたダニーの葬儀でも、白人でないのはわたしと、ダニーの最後の恋人だったベトナム人の若い娘の二人だけだった。

ダニーは十七年前に両親と共にこの地に移住し、まず先に母親が亡くなり、認知症を患っていた父親もその六年後に亡くなった。介護から解放されて身軽になったダニーは、もともと旅行好きだったのもあって、タイや中国、ベトナムなど、アジアの国をぶらぶら旅していた。が、そんな気楽な生活を始めてすぐに癌の宣告を受け、治療で治り、また転移が発覚して治療を受け、みたいなことを数年間繰り返した後に亡くなった。

ダニーの闘病生活を支えたのは、彼がベトナムに旅したときに知り合った二十代の美女だった。彼が余命三カ月を告げられたときに英国に呼び寄せ、「末期癌の六十代の老人の面倒を見るために来た」という理由で弁護士を通して彼女のためにビザを取得・延長した。結局、余命三カ月と言われてから十一カ月生存したダニーをそばで看取ったのはこのベトナム人の恋人だ。もちろん、彼女一人で世話をしたわけではなく、日々の生活の事務的手続きや病院、彼女のビザの手配など細々としたことはすべてジェマがやったのだが。

ダニーの一周忌でも、さばけたブロンドの肝っ玉母ちゃんという風貌のジェマが、ほとんど自分がパブの店主でもあるかのような見事な仕切りを見せていた。会場のパブの中庭には、生前のダニーの家みたいに、大きな聖ジョージの旗がいくつも掲げられていた。わたしたちが着いた頃にはすでにわんさかイングランドのシャツを着た人々がビールを飲んでいて、生きていたらダニーも間違いなくここにいたな、と思ってちょっとしんみりする。

唐突に連合いの携帯がピロロロンと鳴った。ワッツアップ（チャット・アプリ）にメッセージが届いたようだ。彼はそれに目を落としてから、わたしに見せた。

「もうすぐキックオフ。ダニーの代わりにワクワクしています」

というメッセージは、ベトナムに帰ったダニーの元恋人から送られてきたものだった。

「ベトナムっていま何時？　夜中の二時とかじゃない？」

わたしが言うと連合いが答える。

「起きて見てるんだろうな」

するとジェマが満面の笑みを浮かべてこちらに近づいてきた。

「ビールなくなってるじゃない。何がいい？　ラガー？」

ダニーに辛気臭い一周忌なんて似合わない。全力で今夜は盛り上がろうぜ、と言わんばかりの真っ赤な花柄のジャンプスーツに赤いハイヒールをはいている。わたしと同い年だったはずだよな、と思いながら、わたしは彼女にラガーのおかわりを頼んだ。

「ほらこれ」と言って連合いがジェマに携帯を見せた。

「何？　誰から？」

ジェマはそう言って携帯のスクリーンに目を落とし、そこに書かれていることを読むと、ふん、と鼻で笑って隣のテーブルに歩き去って行った。

ジェマとダニーの最後の恋人の間には、彼の死後、激烈な諍い(いさか)が勃発したのだった。あの頃、何度も連合いにジェマから電話がかかってきていたのをよく覚えている。

ダニーと連合いは四歳のときからの幼なじみだった。だから連合いはジェマが赤ん坊の頃からよく知っていて、ジェマは連合いを「兄貴同然」と言っている。ジェマは十代のときに、妊娠の事実を周囲に隠し（ふくよかな体型なので家族も気づかなかったらしい）、ハイスクールのトイレで産気づいて出産したツワモノなのだが、そのときも家族に知られると叱られると思い、まず連合いに電話してほしい、と先生に言ったものだから、赤ん坊の父親は連合いだろうと思われてダニーに殴られたりして大変だったらしい。

結局、ジェマはそのとき生まれた長女の父親である同級生と所帯を持ち、現在まで彼と幸福に暮らしている。面倒見のいい性格なので、両親もダニーも生前は彼女に頼りきりだった。兄が末期癌の宣告を受けて、ベトナムから若い恋人を呼び寄せたいと言ったときも、兄が最期の時間を美しい恋人と一緒に過ごせるように、面倒くさい手続きや手配はジェマがすべてやった。兄の恋人がベトナムから到着すると、ジェマは彼女をまるで娘のように可愛がった。が、ダニーが他界するとすべてが変わった。

「ダニーの遺書を見せろって言うのよ。彼は私にもっとお金を残したはずだと言って、弁護士事務所に勝手に乗り込んで行ってるの」

ジェマはそう言って連合いに電話してきた。にわかには信じられなかった。そのベトナム人の女の子はわたしも何度か会っているが、とてもそういうタイプには見えなかったからだ。

「ダニーが誰にいくら残したのか知りたい、自分には知る資格があるって言うの。妻でもなかったし、一緒に住んだのは十一カ月間だったのに、遺産相続者は自分だとか言い出して……」

若き日にはロンドン東部でも伝説の美男だったダニーは、最初に喉頭癌の診断を受けたときに、セックス・パートナーの数について医師に質問され、これまでの数は五百人ぐらいと答えるのはさすがに気が引けるから一桁少なくしておいたと言っていたほどのモテ男だった。そんな彼は、イケメンの甥(おい)を連れて歩きたい未婚の叔母にも可愛がられ、彼女が亡くなったときに不動産などの遺産を受け取っていた。ベトナム人の恋人はそれを狙っていたとジェマは言うのである。

しかし、カサノバのダニーは、モテ慣れしていたせいか若い恋人に目がくらむことはなかった。そこは本当に彼らしいと思うが、彼は自分の遺産の半分をダウン症の甥っ子に残した。ダニーはその二十代の甥を特別に可愛がっていた。そして残りを六人の他の甥や姪、三人の姪孫、一人の又甥で分け合うように遺書で指示し、それとは別にベトナム人の恋人のために日本円にするなら四十五万円ほど残した。が、彼女はそれが不満だったという。

ジェマは何度も涙ながらに連合いに電話してきては彼女について愚痴り、さっさとベトナムへ帰ってほしいと言いながら、やっぱりしばらくは彼女を自分の家に引き取って住まわせた。ダニーの家は、もともと両親から四人の子どもたちに残されたものだったので、彼の死後、売りに出されることになったからだ。

ベトナム人の女の子は、ジェマにビザを延長したいと言ったが、ジェマにとっては、ダニーが他界した後、彼女を英国に滞在させる理由はなかった。

「もう私は自分の国には住めないだろうと思う」とベトナム人の女の子が言っていたのをわたしは思い出していた。

「英国はあまりに自由で、何をしても、どんな格好をしても誰も気にしていないし、何も言われないから好きなように生きられる。でも、ベトナムはそうじゃないから」と彼女は言っていた。

彼女はもしかすると、本当に国に帰りたくなくなったのかもしれない。だから、英国で滞在ビザを取得して、ひとりで生活していくためにダニーのお金が必要だと思ったのかもしれない。ひょっとすると、ダニーにそういう話をしていた可能性もある。彼のことだから適当に「うん、うん」と返事していたのかもしれない。その場さえやり過ごせればいい、みたいな感じで女との会話をいい加減に受け流すようなところが彼には確かにあった。

でも、ダニーは若い恋人ではなく、ダウン症の甥にたくさんお金を残した。それがダニーの決断だったのである。

「強欲な女には見えなかったけどな。女は怖いもんだ」

パイントグラスを持って連合いの脇に立ったテリーが、連合いの携帯を覗(のぞ)き込みながらそう言った。

「おとなしくて、自己主張するようなタイプじゃなかったけどな。だからこそダニーも安心してベトナムから呼んだんだし」

おっさんたちの大人の事情である。一見、アホみたいな野郎どもだが、男どうしではいろいろ姑息(こそく)なことを話しているんだろう。

しかし、いま思い出しても、ジェマのベトナム人の女の子に対する嫌悪感は、ほとんど恐怖感と言ってもいいほどの、何か根深い感情の表出だったように見えた。わたしはその場にいなかったので、あの楚々としたベトナム人の美女がどんな顔つきで、どんなことをジェマや親戚縁者の人たちに言ったのか知らない。

だがジェマの動揺と取り乱し方は、兄が遺したものを彼女に取られるかどうかに一族の命運がかかっている、とでも言わんばかりだった。所謂(いわゆる)「骨肉のあらそい」では、骨肉ですらない者はよそ者扱いされるのは当然だろう。が、それが同じ国の人間でもない場合、「ウチ」と「ソト」の概念はダブルに濃厚になるのではないだろうか。そんなことに拘(こだわ)るのは、わたしが移民だからかもしれない。だが、あのときのジェマの感情の振り切り方を見て、ふだんは見えない英国人の深層心理が一気に爆発しているような気がしたのだ。英国の地で我々が汗水を流し、悲喜こもごもを乗り越えて培ってきたものを、ひょい、と現れたよそ者に収奪されてたまるかというような怒り、というより、恐れにも似た何か。

憎悪。という言葉が胸に浮かんだ。きっと英国在住の移民はこういうことにいま過敏になっている。それだけでも、ブレグジットというのはけっしてすべきではない有害な投票だった。英国人の剝き出しの本音を見てしまった我々移民は、以前のように彼らを信じられなくなってしまったからだ。

そんなことを考えていると、真っ赤な花柄のジャンプスーツで蝶のようにテーブルからテーブルへと飛び回っていたジェマが、中庭の入口のほうを見て「ハイ、ダーリン！」と声を上げた。

彼女の夫に連れられて、イングランド代表のユニフォームのレプリカを着たダウン症の息子が到着したのである。

ジェマの次男は、二十六歳だ。実は、ダニーの最後の恋人だったベトナム人の女性と同い年である。

わたしが英国に来た二十二年前、彼はまだ小さな子どもだった。地元の保育園に入園を断られ、障碍（しょうがい）を持つ子どもの受け入れを行っている遠くの園を勧められたとき、実の親であるジェマと夫は引き下がったのに、ダニーは激怒して園長に会いに行った。

当時はまだダニーも四十代の男ざかりというか、いやこれは言っておかねばならないが、彼は泣く子も黙る美男だった。日本でイケメンを表現するのに「和製ブラピ」とか「和製ジョニデ」とかよく言うが、ダニーは「英製田村正和」だったというか、要するに色男だったのである。美貌というものは、そこにあるだけで凄まじい影響を人々に及ぼす、一種の魔物だなどということをわたしは彼に教わったが、あの魔物は「自分の甥を入園させろ」と保育園に怒鳴り込んで行っておきながら、なぜかその晩、園長とカレーを食べに行き、いつの間にか懇ろな仲になって、その園は障碍者保育のエキスパートまで雇ってダニーの甥を受け入れることになった。

こういう話はダニーの生涯にはごろごろ転がっていた。

W杯観戦と一周忌を組み合わせたイベントなのに、やけに化粧品臭いというか、ケバいおばちゃんたちがたくさん来ているのもそのせいだ。ほぼ全員、ダニーと懇ろな関係になったことのある女性たちだろう。ダニーの甥が卒園した後もしばらくダニーと交際していた、くだんの園長先生も、紫のタンクトップ姿でがばがばとワインを飲んでいた。

「ハロー、一年ぶりだね」

ダニーの甥がわたしたちのテーブルに近づいてきたので、連合いがそう言った。

「そうだっけ?」とダニーの甥が答える。

「どうだい、調子は?」

連合いが訊くと、ダニーの甥っ子は言った。

「元気です。ダニーが、ようやく夢に出て来なくなった」

ダニーが亡くなってしばらく、彼が伯父の夢ばかり見て精神的に混乱していたのはジェマから聞いていた。彼はオーク材の家具を作る小さな工房で働いているが、仕事もずっと休んでいると言っていた。その仕事を探してきたのもダニーだった。工房のオーナーがダニーの飲み友達だったのである。

「仕事はちゃんと行ってるかい？」

「うん。ボスがあそこに来てる」

ダニーの甥は、連合いに隠れるようにして少し離れたテーブルのほうを指さした。ビールを飲みながら談笑している初老の長髪の男性とわたしたちの目が合い、

「おお」

「お久しぶりです」

と挨拶を交わし合う。

みんなここにいる。一年前、ダニーの葬儀に出席した人々が再び彼のために集まっている。葬儀の中心で遺影を抱えて座っていた彼の恋人以外は。

そうこうしている間にキックオフの時間になった。

「カモン・イングランド！」の野太い掛け声が中庭のあちこちで上がり始める。いきなり試合開始直後にトリッピアーが右足でゴール右上にシュートを決めると、「おおおおおお」の怒号とともに、ビールを上空にぶち投げた者もいて、早くも黄金のシャワーが我々の上に降り注ぐ。いったい死者の一周忌でこれほど盛り上がっていいものなのか、パブの中庭は開始五分から歓喜のカタルシスだ。

1－0のままハーフタイムに突入し、ぞろぞろみんなパブの建物の中に入って、ビールを注文したり用を済ませたりしている。わたしも連合いと自分のパイントを買って、両手にグラスを握って戻ると、連合いが携帯のスクリーンをわたしに見せた。再びベトナムからワッツアップにメッセージが届いている。

「フットボール・イズ・カミング・ホーム」

と書かれていた。

カミング・ホーム、カミング・ホーム、カミング、フットボール・イズ・カミング・ホーム……。耳元でダニーの声が聞こえたような気がした。ラガーのパイントを握りしめて友人たちと肩を組み、イングランド代表の応援歌を歌っているダニーの姿が中庭の隅に見えた気がした。応援歌「スリー・ライオンズ」の「フットボールが故郷に帰ってくる」という歌詞が意味するところは、フットボールの母国、イングランドにW杯の優勝トロフィーが戻ってくるということだ。イングランドは、一九六六年に一度だけしか優勝したことがない。

「俺が生きている間に、フットボールは故郷に帰ってくるかな」

去年ダニーがそう言ったのを覚えている。内心、W杯の時期まで生きることができるんじゃないかときっと思っていたのだ。

目の前が霞んできたのでぐいっとビールを喉に流し込むと、心なしか連合いも目元を湿らせていた。

「どうしたの、やたら静かじゃない、ここは」

ジェマがそう言って近づいてきた。

「いや、ダニーが『スリー・ライオンズ』を歌ってる姿が目に浮かぶような気がしてな」

連合いが答えた。わたしと同じことを考えていたのだ。

「いるわよ、彼はここに」

ジェマはごく当たり前のことのように言った。

「ダニーはここで一緒に試合を見ているわよ。私はずっとそれを感じているもの」

彼女って、こういうことを言うスピリチュアル系の人だったっけ、と思ったが、辺りの光景を見回せば、たしかにここにダニーが混ざっていてもおかしくない。というか、混ざっていないほうがおかしい。ジェマがW杯観戦を彼の一周忌にした理由がわかった気がした。

後半が始まると、両チームともうまくゴール前に繋げない試合運びでもどかしかったが、ついに後半二十四分、クロアチアがゴールを決めた。

「あああああ。なんかよくない時間帯」

「なんかやつらが試合を支配し始めたぞ」

パブの中庭でもネガティブな言葉が飛び交うほど、クロアチア代表が波に乗り始めた。

「クソ！　イングランドはクソ！　負ける！　クソ！　クソ！」

そう言いながらダニーの甥がぷりぷりして建物の中に入って行った。急いでジェマがその後を追いかけていく。

「お前、ちょっと落ち着け。アンクル・ダニーにおいで」

急にダニーの優しい声が脳裏に蘇(よみがえ)った。こんなとき、甥っ子をなだめるのが彼はとても上手だった。成人した甥っ子を、小さな子どものように自分の膝の上にのせることもあった。

イングランドが調子を取り戻せないままに後半終了のホイッスルが鳴った。1－1のまま、延長戦に突入である。

「ああまた。なんでいつも延長とかPK戦とか劇的なことになるんだよ。どうしてふつうに勝ったり負けたりできないのかな」

「しょうがない。それがイングランドだから」

「若くて多様性に富んだ、これまでとは違うイングランド、とか言われてたけど、延長戦の伝統はしっかり受け継いでるじゃん」

文句を言いながらも、誰もが食い入るようにスクリーンを睨(にら)んでいた。罵倒よりも愚痴っぽい声が上がるようになってきたのは、イングランドにぜんぜん勝てそうな気配がないからだ。選手たちの動きや顔つき、パス回しのリズムから、負けそうなヴァイブがびりびり発散されている。攻めて、攻めて、攻められて、持ちこたえた延長前半が終了したが、そんな消極的な戦い方で勝てるわけがなかった。延長後半開始四分にクロアチアにゴールを決められて、イングランドは敗退した。

「ノーーーー！　ノーーーーー！　シット！　シット！　シット!!!」

いつの間にか中庭に戻って来ていたダニーの甥が仁王立ちして叫んでいた。そして片足でどすっ、どすっと地面を蹴り始め、「ううう、ぐうううううああ、ぐうあああああ」と、悲しみと悔しさと怒りが混然一体となったような唸り声を響かせ始めた。ジェマと彼女の夫が走り寄り、二人で彼を両側から抱えるようにして中庭の柵の門を開けて駐車場に出て行った。

敗戦直後の中庭はカタストロフィーだった。

テーブルの上に突っ伏して動かなくなったおっさん、両手で顔を覆って小刻みに震えている青年、マスカラが目の周囲に流れてザ・キッスのジーン・シモンズみたいな顔になって泣いているおばちゃん。ダニーの甥が去った後は、沈黙だけがその場を支配していた。世界の終わりってこんな感じだろうか、と思った。

ジェマが駐車場のほうから戻ってきてパブの建物の中に入って行った。店の従業員に何か話している姿がガラス越しに見える。

ポロポロポロロローン、というアコースティック・ギターの音が唐突に中庭に響き渡った。

「人生には悪いこともある。それらは本気で我々を激怒させる……」

エリック・アイドルの語りがスピーカーから聞こえてきた。何の曲がかかっているのか気づいた人が、一人、また一人と立ち上がり、パイントグラスを高く掲げて左右に体を揺らし、大声で歌い始めた。

「Always look on the bright side of life（いつも人生のブライト・サイドを見ようよ）」

モンティ・パイソンの映画に使われたこの曲は、ダニーの葬儀で一番最後にかかった曲だった。イングランド代表が負けたときにも、ダニーはいつもこの歌をヤケクソで歌った。その曲を、自分の葬儀の締めに使ってほしいと言い残して逝（い）ったのである。

ダニーは自分の人生を負け戦だと思っていたのだろうか。

不意に背中を突かれて振り返ると、連合いがまた自分の携帯をわたしの顔の前にかざした。

「Always look on the bright side of life」

ベトナムからのメッセージだった。

「すごいシンクロ。鳥肌が立った。なんでわかるの?」

そう言うと連合いが答えた。

「そりゃわかるさ、ダニーを知っていた人間なら、あいつがいま何を歌っているか、みんなわかる」

中庭に戻ってきてテリーたちと肩を組んで歌っているジェマが、しんみり座っているわたしたちに気づいて手招きしている。

「彼女も、ベトナムで一人で歌っているのかな」

わたしが言うと、連合いが椅子から立ち上がりながら言った。

「一人じゃないかもな」

「……うん、そうだね」とわたしも微笑して立ち上がり、ジェマやテリーたちに加わって歌った。

ベトナムの彼女も一人じゃないほうがいい。

あの小さな肩を抱いているのがダニーでも、別の誰かでも。

生きている者の人生は続くのである。

11 漕げよカヌーを

これまで『ハマータウンの野郎ども』世代のおっさんのことばかり書き綴ってきたが、当然ながらポール・ウィリスが調査した頃の英国には「ハマータウンの姉ちゃんたち」もいた。で、いまこの世代の女性たちの間（というか、わたしの周囲だけ）でひそかなブームなのが、カヌーである。

ママ友にもカヌーを持っている人がいて、我々母ちゃんチームでカヌーを漕いでテムズ川下り大会で優勝したこともあるのだが、連合いの友人のパートナーにもカヌー所有者がいる。

女たちとカヌー。その因果関係はよくわからないが、わたし自身を含め、なぜか周囲には「漕ぐ女」が多い。

ママ友は、四十歳の誕生日に「何が欲しい」と家族に聞かれ、カヌーを買ってもらったという。四十歳の誕生日といえば、英国では二十一歳の誕生日と同じぐらい重要で、人生における大きな節目と思われている。だから、友人たちと海外旅行に行く人もいれば、パブやレストランを借り切ってパーティーをやる人もいるが、彼女はカヌーが欲しかったらしい。

「一人でカヌーを漕いで、ふらっと何処かに行きたかった」

と言っていたが、もともとスポーティーで競争心あふれる女性である。いつしか「一人で何処かに行きたい」夢想は、大会で速さを競いたい願望へと変わり、彼女と川下りに出るときは二の腕がパンパンに腫れて翌日は使いものにならないほど訓練させられるので、のんびり休日を楽しみたいときは、もっぱら連合いの友人のパートナーであるローラとカヌーに乗ることに決めている。

実はローラがカヌーを持っている理由も、プレゼントされたからだった。英国にカヌーをプレゼントする習慣があるわけではないのだが、ローラの場合は、パートナーのマイケルとの同棲二十五周年（いわば銀婚式というやつだ）を祝し、マイケルから何か欲しいものはないかと聞かれて「カヌー」と答えたのである。

しかし、ローラは「一人で漕いで何処かに行きたい」というのではなく、同棲して二十五周年になるパートナーと、これからも一緒に仲睦まじく生きていくために、何か一緒にできることがあったらいいよね、とカヌーを思いついたらしい。二人はグリニッジという町に住んでいて、天井に積んでちょっと車を走らせばテムズ川にカヌーを浮かべられるという地の利もあった。

そんなわけで最初の数年間は、春が来るとテムズ川にカヌーを浮かべ、秋口に入るまで二人で仲良く漕いでいたが、マイケルが五十代後半にさしかかった頃からそれもできなくなった。もともとふくよかだったマイケルが加齢とともに加重し、それとともに膝まで悪くなって杖なしでは歩行も難しい状況になったからだ。

以降はローラもカヌーに乗りたくなるとわたしに連絡をくれるようになり、女二人で三時間も四時間も漕ぎっぱなしということもある。わたしもこれまで英国の様々な顔を見てきたつもりだが、グリニッジからケント州のヨールディングまでのルートを漕ぐときほど「英国とはなんたるビューティーだったのか」と思うことはない。まるでラファエル前派の絵画の中にいるみたいなのだ。

日本の女優、樹木希林が亡くなったとき、彼女がＪ・Ｅ・ミレーの絵画の「オフィーリア」に扮し、美しい緑をバックに笑みを浮かべながら川面に浮かんでいる広告写真がネットに出回っていたが、あの樹木希林になった気分が味わいたければ、カヌーでテムズ川に浮かんでみるといい。

テムズ川といえばターナーも描いたが、あんな陰気で鬱蒼とした秋冬の季節は、さすがにカヌーを出すには寒い。我々がテムズを下る春と夏の川岸の風景はＪ・Ｅ・ミレーやロセッティの色彩だ。川の幅が広くなり湖みたいになる地点では、すいすい優美に白鳥が漂っていたりして麗しいことこの上ないが、あいつら実は獰猛（どうもう）なのでうっかり近づこうものなら、しゃーーっと毒蝮のような声を発しながら嘴（くちばし）でフルスロットル攻撃してきて、殺されると思ったこともあった。

「今年もあと一カ月かな。カヌーに乗れるのは」

白髪混じりのおさげ髪を揺らして逞（たくま）しくパドルを動かしながらローラが言った。

彼女は昨年、看護師の仕事を早期退職した。ＮＨＳ（国民保健サービス）職員を対象とした年金スキームの早期退職年齢五十五歳に達したのを機に仕事をやめ、年金とロンドン市内に所有する不動産の家賃とで暮らしている。

ここがデフレの日本と経済成長してきた英国の大きな違いだが、たとえ労働者階級でも、英国の中高年は、親がむかし家を買って親の死後にそれを相続した場合、順調に住宅価格が上昇しているので、それを元手に資産運用を行いリッチになる人々もいる。

ローラとマイケルがまさにこのタイプで、自分たちが住んでいる家を含めてロンドンに三軒の住宅を所有し、ロンドン市内といえばいま郊外でも複数寝室のある一軒家の家賃は二千ポンド（約二十八万円）はくだらないので、悠々と早期リタイア生活を送れるわけだ。

買った瞬間から値段が下がり、物件も劣化していくだけの日本の住宅と、順調に住宅価格が上昇し、築百年以上もざらにある英国の住宅とでは、同じ持ち家でも持つ意味がまるで違う。

ローラの背中で揺れるおさげ髪を見ながら、わたしは言った。

「髪、伸ばしてんの？　ずいぶん長くなったね」

「いや、そろそろカットするつもり。年取って伸ばすと毛先がスカスカになっちゃって」

「そうなんだよねー、わたしも最近、抜け毛がひどくて」

二十二年前、初めて会ったときは、眉毛の上でばっつんと短く切った前髪に腰までまっすぐ伸びた豊かなブルネットの髪、臙脂（えんじ）色のフレッドペリーのポロシャツに裾を折り曲げたジーンズ、足元はドクターマーチンの8ホールブーツをはいていた彼女に、ロンドンの看護師ってこんなにクールなのかと思ったものだった。

レトロでモッズでいかにも音楽好きそうで、バンビのお母さんみたいな目をした優しげなローラと、友達になりたい。と一目惚れしたのだったが、さすがにそのときは更年期の抜け毛の悩みを語り合いながらカヌーを漕ぐ仲になろうとは思わなかった。

「十月末からはオーストラリアだから、その前には髪を切る」

「で、十一月はインド、クリスマスはカナリア諸島、ってもう、はっきり言って英国にいることってないじゃん」

ロンドン地下鉄に勤務していたマイケルも数年前に早期リタイアしてからは、二人は夏の間だけ英国にいて、冬は旅行ばかりしている。家庭を持つ勤め人は、夏休みの期間にホリデイを楽しみ、冬は英国にいるが、子どもがいない二人はそれが逆転している。

子どもをつくらない、というのはローラとマイケルが二人で決めたことだった。三十代後半の頃、「体内時計の音が聞こえる」とローラが悩んでいたのを覚えている。しかし、最終的に子どもはいらないと決めたのはローラのほうだった。

「子どもができると、二人の関係性が変わるのが嫌」

とローラがその理由について話したのを覚えている。

思えば、あのときからローラは「早期退職して、マイケルと二人で世界中を旅行して暮らしたい。その希望があるからこそ、きついＮＨＳ（国民保険サービス）の仕事も耐えられる」と言っていた。

ティーンで見習いとして看護師の仕事を始めてから三十八年間ＮＨＳで働いた人だ。彼女は、最後の十数年間は一般の看護師ではなく、資格を取って乳癌の患者のカウンセラーをしていたが、「NHSはもう福祉国家だった頃の英国の医療制度ではない。それは現場にいると心が傷つくほどの変化」と言ったことがあった。

昨年、彼女が職場を去った日の翌日も、実はこうして二人でカヌーを漕いでいたのだった。その日の朝、彼女の家に着いたとき、前日のお別れ会のパーティーで彼女が同僚や患者さんから貰った花束やカードが居間にところ狭しと並んでいた。

「いよいよとなると、やっぱり寂しいでしょ」

と尋ねると、

「ううん。それが、本当にすっきりしているの」

と、驚くほど爽やかな表情で彼女が答えたのを覚えている。

「福祉国家の縮小により長い期間をかけて育ってきた既存の経済への広範な不満が、緊縮財政によって起動させられた可能性が高い」というのは最新のブレグジット分析である。これはウォーリック大学の経済学部准教授、ティエモ・フェッツァーが発表した「緊縮がブレグジットを引き起こしたのか？」という題名の百ページから成る調査書の一部だ。

福祉国家の縮小、をまさに体現しているのがNHSである。ブレグジット投票で離脱に票を投じた人びとの多くが、「離脱すれば、週三億五千万ポンド（約五百億円）のEUへの拠出金を国内でNHSに投入することができる」という離脱派キャンペーンのデマを信じて離脱を選んだという事実が、英国の人々がどれほどNHSに愛着（執念にも似たほどの）を持っているかということを象徴している。

「夕べ、日本の家族と電話で話してたんだ。母親が医者に入院を勧められたって言うから、『したらいいじゃん』って軽く妹に言ったら、『費用はどうするのよ』って言われた。ああそっか、日本は医療にお金がかかるんだ、と思った。すっかり忘れてたもん。こっちではそんなこと、考えもしないから。やっぱNHSって、ほんとにすごいものなんだとつくづく思った」

「私もそう思うからマイケルに提案してみたんだけど……」

ローラはパドルを休めて、くるっとこちらを振り返った。現在、彼女たちは、子どもをつくらないと決めたときと同じぐらいの大きな決断について揉めている。そういう年齢なのか、さいきん遺言の話になることが多いのだが、子持ちよりも、真剣に考えているのは子どもがいない人々だ。ローラは、自分が亡くなったら資産を地元のNHSの病院に寄付したいと言い出したのである。

「自分がきつい思いをして何十年も働いた職場に金を残すバカがいるかってマイケルは言うの」

「まあ、確かにそれも一理ある」

「それならどこかチャリティー団体に寄付したほうがいいって言われた」

わたしも漕ぐ手を休めた。川面に林の緑色が映り、白い花びらが浮いている。またJ・E・ミレーの絵画の中にいる錯覚を起こす。ふと、樹木希林の広告スローガンを思い出した。

「死ぬときぐらい好きにさせてよ」

「は？　何か言った？」

怪訝そうにこちらを見ているローラにわたしは言った。

「ずっとＮＨＳで働いたから最後はＮＨＳにとか、ずっとＮＨＳで働いたから金まで残したくないとか、そういうの、もう関係ないっしょ。死ぬときは、自由だ」

わたしは後部に頭をついて仰向けになった。いよいよオフィーリア気分だ。しかしやはり根が保育士なのか、こんなときでも「ロウ・ロウ……」と口をついて出るのは童謡だ。

漕げ、漕げ、ボートを　やさしく流れに乗って
陽気に　陽気に　人生なんてただの夢

ローラが再びパドルを動かし、するするとカヌーが前方に滑り始めた。ふと思う。

Ｊ・Ｅ・ミレーの絵の中のオフィーリアは何を歌っていたのだろう。

12 燃えよサイモン

じゃーーーん、ちゃっ、ちゃっ、「ふわあああっ」、じゃーーーん、ちゃっ、ちゃっ、「あたあーーーっ」、と扉を開けた途端に騒音が耳に飛び込んできた。

いや、騒音ではない。オーケストラの演奏とブルース・リーの雄叫(おたけ)びが絡み合う、『燃えよドラゴン』のテーマだ。

「サンクス！　カモン」

満面の笑みのサイモンにいざなわれて玄関から入ると、居間のソファに彼の甥(おい)っ子のジョーとその恋人が座っている。

「こんにちは。久しぶり」

「ハーイ、元気だった？」

一応の挨拶をしてから、

「はい、これ、頼まれたもの、持ってきたよ」

と持ってきたアクリル絵具のセットを差し出した。

息子が小学生のときは、市が毎年やっている子どもパレードに参加したりする際、被(かぶ)り物やのぼりなんかをつくるために使った絵具だが、中学生になったいまは必要なくなったので捨てようと思っていた。それが、まさかこんなことで役に立つとは思わなかった。

「お、各色バッチリ揃ってるじゃん」

「うん。よかったら、スプレータイプもあるから使って」

サイモンがきらきらと瞳を輝かせている。ソファに座っている若人たちより、おっさんのほうがずっとはしゃいでいる印象だ。

カーペットの上には、段ボール紙のプラカードが二枚並んでいた。

「貧困賃金にNO！　労働者の権利」

「われわれが求めるものは生存賃金！」

とプラカードにはそれぞれ鉛筆で下書きされている。

「ふつうにマジックで塗ればいいと思うんだけど。サイモンが妙に張りきっちゃって」とジョーが言うとサイモンが答えた。

「プラカードをつくるところから労働争議は始まってんだよ。どうせやるならマジでやれ」

サイモンの声と「わたーあっ」「あちょーーーーっ」のブルース・リーの雄叫びが重なる。彼は昔からブルース・リーの映画の大ファンで、気分が乗ってくるとこの曲を聴く癖があるのだった。で、エセックス州在住の彼が、わざわざブライトンに住んでいる甥っ子を訪ねて来てこの曲を聴いている理由は、ジョーが生まれて初めての「労働争議」デビューを果たすからだ。

ジョーと恋人はウェザースプーンというパブに勤めている。で、彼らは、マクドナルド、T

ＧＩフライデーズ、ウーバーイーツ、デリバルーの従業員らとともに一斉ストライキを行うことになったのだ。これ、日本で言ったら、マクドナルドとつぼ八とロイヤルホストと出前館の従業員がジョイントでストをやるようなものである。

と言っても、今回は全店舗一斉のアクションではなく、参加するのはブリクストン、クレイフォード、ケンブリッジなど一部の地域のマクドナルドの支店、ミルトン・キーンズ、コヴェントリー・ガーデンなどのＴＧＩフライデーズの支店、そしてウェザースプーンはわが町ブライトンの二店舗が「スプーンストライキ」のスローガンを掲げてストに突入する。

ウェザースプーンは、英国のどこの街に行ってもある大型チェーンのパブである。非常に安い食事を提供していることで有名で、「パウンドランド（一ポンドショップ）で買い物をしてウェザースプーンで食事をするのが下層民(チャヴ)の外出」とからかう人々もいる。

ウェザースプーンやマクドナルドといった大型チェーンの飲食店の従業員のほとんどは、低賃金である上に、いわゆるゼロ時間雇用契約だ。フルタイムでシフトに入ってもまともに生活できないような時給で働いているにもかかわらず、最低労働時間が保証されていない。すこぶる非人道的な条件で雇用されているのだ。

「だいたい今まで、お前らが黙って働いてきたのが不思議だった。新自由主義が世の中を悲惨にしたとか言うけどよ、責任の半分は黙って奴隷になってきた労働者にもある」

そう説教を始めながら、サイモンが絵具の蓋(ふた)を開けた。彼は連合いの友人たちの中でも、とくに強硬なブレグジット派であり、英国内の労働者を守るためにＥＵ圏内からの移民流入を制限すべきと言い続けてきた人だ。彼に言わせれば、現代の労働者たちの悲劇の元凶はサッチャー政権時代からブレア時代を経た現代まで、労働組合の力が一貫して弱体化してきたことにあり、「若い世代と移民は労働組合に入らない」が口癖だった。

「だって労働運動なんて、コミュニティセンターの隅で理屈っぽいおっさんがビラを撒（ま）いてるイメージしかなかったし」

　とジョーが言うと、彼の恋人も隣で頷（うなず）いた。

「うん。労働運動って、全然キュートなイメージなかったもん。なんか全体的に暗い感じで」

　ちょっとヴァネッサ・パラディの若き日を思い出すような、スキニージーンズの似合うお洒落なその女の子は、ぽってりとしたピンク色の唇を突き出している。

「でも、ストライキってのは新しいと思ったんだ。わけのわからない演説とかはダサいけど、一斉に労働拒否するなんて、超クール」

　甥っ子が言うと、サイモンが振り向いた。

「ストなんてお前、ちっとも新しいもんじゃねえよ。一九二六年のゼネストとか、お前らの世代はもう教わってないのかなあ」

　そう言って床の上に座り、プラカードに色を塗り始めたサイモンの隣に、ヴァネッサ・パラディばりのジョーの恋人がしゃがみ込む。

「私もやっていい？」

「おお。じゃあ、こっちを塗ってくれ。バックははっきりした色がいいぞ。赤とか。うん。労働党の赤にしろ」

まんざらでもない顔でサイモンが甥の恋人に筆を渡す。

六十代になっても『燃えよドラゴン』のテーマを聴いていることからわかるように、サイモンは若い頃から異国の文化に興味があり、いくつかの職を転々とした後、バックパック一つ背負って中国に行ったり、イスラエルのキブツでバナナを育てたりして世界中を放浪した。そんなインターナショナルな旅人がどうしてドメスティックな労働組合にこだわるのかは一見、不思議なのだが、

「俺は世界中を旅して働いたから知っているけど、組合の弱い国の労働者は悲しいもんなんだよ」

と彼は言うのだった。

だからサイモンは組合に入って労働運動をしない若者や移民が嫌いだった。とはいえ、移民についてては、組合に入って闘ったむかしの移民は好きらしく、数年働いてお金を貯めて帰るつもりでやってくるEU圏内からの移民は「英国内の労働者の待遇や賃金について考えていない」点でムカつくと言っていた。

そのEU移民が嫌いなはずのサイモンが、甥っ子の恋人であるフランス人の女の子と並んで労働運動のプラカードを作成している姿にはなんとも趣深いものがある。

「『生存賃金』って黄色で塗ろうかな。そのほうが目立つよね」

「おお、いいんじゃないか」

仲良く作業している伯父と恋人の姿を、ジョーがティーを飲みながら訝しげに見ている。ウェザースプーンの従業員の六割以上は彼らのような二十五歳以下の若者であり、その多くがNEET出身だと同社のサイトが公表している。そして統計は公開されていないが、ジョーの恋人のような移民のスタッフも多い。近年はゴリゴリの人員削減も進み、最低賃金で二、三人分働かされている者もいるという。若いのでストに向かう姿勢は一見チャラいが、彼らにとり、生存賃金を得られるかどうかは、文字通り生活をかけた闘いなのである。

「『ソーシャリズム』って書くのも格好いいかも」

とジョーが言った。

ソーシャリズム、とカタカナで書くと何か別物のようだが、それは社会主義のことである。こんな言葉が英国の若者のあいだでヒップになる時代がくるとは誰が予想しただろう。ジェレミー・コービン党首や労働党を支持している若者や学生たちの間で、いま「社会主義」は新しいバンドの名前や流行りのクラブの名前ぐらいクールなものらしいのだ。

「そんなもの、わざわざ求めなくても、俺らの社会の一部分はずっと社会主義をやってるよ」

プラカードに赤い絵具を塗りながらサイモンが言った。

「この国は、リッチな奴らにとっては社会主義国だ。俺らにだけ『食うか食われるか』の新自由主義をやらせといて、富裕層は『ゆりかごから墓場まで』よろしく政治に守られている。あいつらだけ税金を節約できる抜け道を用意してもらい、規制緩和で商売もやり易くしてもらう。で、何か失敗してもあいつらだけは『自己責任』にならない。いくらやらかしても政府が尻ふきしてくれるんだ。金融危機のときだって、銀行を救ったのは市場じゃなくて、政府だったじゃねえか」

苦々しい顔をしているサイモンにジョーの恋人が言った。

「でも、社会主義ってワーキング・クラスのためのものじゃなかったの？」

「いまは違うんだ。いや、サッチャーの頃から違う」

サイモンが答えると、ジョーの恋人が唐突に正座して拳を突き上げた。

「労働者の権利！　我々は労働者の権利を求めなくちゃいけない！」

右手の拳を挙げている彼女のほうを見て、サイモンが言った。

「労働者の権利って、フランス語でどう書くんだ？」

そこらへんにあったフライヤー（ちらし）を裏返してサイモンが彼女に渡すと、ジョーの恋人はそれにサラサラとフランス語を書き始めた。

サイモンは、眉間（みけん）に皺を寄せてそれを注意深く眺めながら、プラカードの上に書き写していく。

「え、フランス語のプラカードにするの？」

ジョーの恋人が愛らしい青い瞳を輝かせた。

「おお。労働者の連帯は国境を越える」

思わずジョーとわたしは顔を見合わせた。彼が肩をすくめて、悪戯（いたずら）っぽくウィンクするので、ぶっと笑いそうになるのを堪え、わたしはひたすら何も見なかったふりをした。

「移民も、英国人も、みんな一緒に闘わなきゃ。またそういう時代が戻ってきたんだよ」

サイモンはおっさんらしく低く落ち着いた、でもどこか高揚感を抑えきれない感じの声音でそう言い、丁寧にフランス語のスローガンに色を重ねていった。

「すごい、字体が昔の００７のポスターのレタリングみたいでクール！　サイモンの伯父さん、プラカードづくり上手！」

ジョーの恋人が無邪気に両手を叩いて喜ぶ。ちょっと照れているのかサイモンは顔をあげず、床の上のプラカードを睨（にら）みながらサササッと筆を走らせていく。

「あふぉ、ふふぉおお、あひゃあーー」とブルース・リーの声が微妙な感じでくぐもったサウンドになってきたなと思ったら、いつの間にか曲が『死亡遊戯』のテーマに切り替わっていた。勇壮なオーケストラの調べとブルースの怪鳥音が開け放した窓から秋晴れの空に竜のごとく上っていく。

「あちゃ、あちゃ、あちゃ、あちゃ、あちゃーーーーっ」

燃えているのはドラゴンだけじゃない。

今秋、サイモンも燃えている。

13 ゼア・ジェネレーション、ベイビー

　連合いの友人のレイが、七年間一緒に暮らしたパートナーのレイチェルと別れた。初夏に二人がブライトンに遊びに来たときから予感はあったので、来るものが来たかという気がした。

「家も子どもも彼女のものだし、レイはハウス・ハズバンドだったから、追い出されてそれでジ・エンド」

　テリーから報告を受けたとき、わたしは電話口で言った。

「あのさあ、いままで誰にも言ったことないんだけど……、ＥＵ離脱投票のあとでレイチェルと喧嘩ばっかりしてたとき、仲直りの印とか言ってレイが腕にタトゥーをいれたじゃん」

「ああ。中国語か日本語か何かのやつ」

「そう。あれ、実は『平和』じゃなくて、『中和』って意味になってたんだよね……。ちゃんと言ったほうがいいのかな。もう要らないタトゥーになったわけだし」

　とわたしが言うとテリーが答えた。

「まあな。いまはレーザー除去とかもできるしな」

「でしょ。わたしもそう思って」

「しかし、あいつらみたいのをブレグジット破局っていうのかな」

「一時は仲直りしてうまくいってたのにね。やっぱりさあ……」

レイチェルは若いから。と言おうとしてわたしは口をつぐんだ。六十代前半のおっさんたちは、どうも最近、年齢の話に過敏というか、あんまり年齢を意識させることを言うと極端に落ち込む場合がある。ガラスの六十代は取り扱い注意なのだ。

「しかし、本物のブレグジットより先にレイたちが別れるとはなあ」と何度も言ってテリーは電話を切った。

海外には、英国はすでにEUを離脱したものと思っている人たちもいるが、実は我々はまだEUの中にいる。離脱の条件に関する取り決めがぐちゃぐちゃといつまでもまとまらず、もはやすっかり国民はダレている状態で、「なんかもう、一生ブレグジットなんか起きないんじゃないの」と言ってる人たちもいる。

が、レイとレイチェルはブレグジットのようにぐずぐずしなかった。スパッとお互いから離脱である。まあレイチェルに新しい男ができたという事情が大きかったのだろうが。

テリーはそれからも定期的に電話してきてレイ情報を伝えてくれた。レイは家を追い出されたあと、テリー宅に世話になっていたからだ。「一人にしとくと、絶対また酒に手を出すと思った」とテリーは言っていた。

レイは過去にアルコール依存症で一つ家庭を失っている。今回はもう失った後とは言え、傷心の彼がまた飲み始めるのではというのは友人たちの共通の心配だった。テリーやその家族によるソフトな監視のおかげで、レイは再び酒を飲みだしてはいない。テリーは数カ月前から、腹が出て来たことを気にして酒量を大幅に減らし、ジムに通ってグリーン・スムージーを飲むヘルシーおやじに成り下がっているし、妻はもともと飲まない人で、息子たちも外でしか飲まないから、パーティーをするとき以外は家庭にアルコールを置いていない。だから、レイがしばらく宿泊するには自分の家が一番いいとテリーは思ったそうだ。一緒にスムージーメーカーでいちごやバナナ、ラズベリーなどいろいろ試してオリジナルの味をつくって飲んでいる。と聞けば、いかついおっさん二人がキッチンで何をきゃらきゃらやっているのかと思ったが、それでも最初の頃は、修羅場もあったようだ。

「死ぬことを考えてるんじゃないかと思った瞬間が二回あった」

連合いにはテリーがそう明かしたらしい。そんな危機を乗り越えてレイが生活の再生に着手することができたのは、彼には「労働者階級の合理性」が備わっているからだ。「俺の人生だから、まあこんなもんだよな」という諦念のことである。あんないい女に捨てられて悲しい↓けど、そもそもあんな若い別嬪と俺が一緒にいたのがおかしかった。かわいい子どもたちにもう会えなくて悲しい↓けど、そもそもみんな俺の子どもじゃないし、子は成長すると親離れするからそれが早く来ただけ。みたいな悟りである。これがあるから、アルコール依存症で入院中に前妻に逃げられたときも、レイは事態を冷静に受け止め、再び酒に逃げなかった。

「絶望、なんてロマンティックなことは、上の階級のやつらがすることよ」とレイはよく言う。そりゃ確かにそうだ。そんな抽象的なことでは腹はふくれない。労働者はまず下部構造。食っていかねばならんのだ。

　そんなわけで、レイは即行で就職活動を始めた。なにしろ、レイチェルと暮らしていた七年間は育児と家事に専念していたのだ。いわば専業主婦の社会復帰みたいなものだが、レイのほうが不利なのは、専業主夫をしてきた六十代のおっさんという、ふつうに考えるとわりと大きなハンデを背負っている。が、彼はガテン系の派遣会社に登録してきたかと思ったらすぐにロードサービス会社エンジニアの職を見つけてきた。もともと彼はこういう仕事を長年やっていたので、百戦錬磨のベテランなのが功を奏した。

「あなたのような人が来てくれて本当によかった」と重宝がられて毎日シフトが入って大忙しになり、まもなく部屋を借りてテリー宅から独立することもできた。そして三カ月が過ぎた頃、派遣されているロードサービス会社が正社員エンジニアを募集した。

　その会社には、派遣エンジニアが正社員募集時に応募して採用されてきた歴史があるという。現在、レイが働いている支店には派遣エンジニアが八人いるが、正社員募集の枠は七人。つまり、ほぼ全員が採用されることになる。他の派遣エンジニアも全員応募するというので、レイも履歴書を送った。実際、正社員を含めてもレイは一番経験がある。「こういう場合、どうするのがベストなんでしょうね」と言って年下のマネージャーにも相談されたりするぐらいだ。そのマネージャーが面接担当なのだから幸運の女神がレイに微笑（ほほえ）みかけてる感じだったし、口頭での業務に関する質問も、寝ていても答えられるぐらい楽勝だった。車両修理テストでも、逆に工具が揃ってない場合の修理法もあることを試験官に教えてやったぐらいである。採用されないわけがない。とレイは思っていた。

ところが。

彼のもとに届いたのは不採用の通知だった。

「なんで落とされたのか納得がいかない」

とレイは電話で連合いに憤っていたらしい。どうしても理由が知りたいのでロードサービス会社の人事部に連絡してみたが、「折り返し電話します」と言われてそれから音沙汰なしだという。

その会社の企業年金制度では、年金受給開始年齢、つまり引退年齢を六十五歳と定めているそうだ。国の年金と同じで今後はその年齢が引きあげられるという話だが、しかし現在のルールでは、六十三歳のレイは、あと二年でリタイア年齢に達することになる。

「年齢、だろうな」とみんな思った。レイには自分の年齢がよくわかってないフシがある。三十代のパートナーやその子どもたちと一緒に暮らしてきたせいか、たぶんレイの頭のなかでは、彼は四十代ぐらいなのだ。

「エイジズムって、雇用の現場ではないことになってるからな」

連合いが言うのでわたしは答えた。

「ないことになってるけど、ないわけでもないじゃない……。というか、あるんだけどね」

ふと、わたしたちはどうしてレイに「年齢じゃないかな」と言えないんだろうと思った。もしわたしがレイの配偶者や妹だったらとっくに言ってるだろう。いつまでもしつこく人事部に電話したり、理由がわからないといろんな人に言いまくって彼が自分で自分を惨めな人にする前に、たとえ残酷でも反ＰＣ（ポリティカル・コレクトネス）でも、ズバッと思ったことを言うだろう。と思った後で、ああそうか、レイの家族はいなくなったばかりだったと気づいた。

「あいつ、今年は踏んだり蹴ったりだよな」

連合いがぼそっと言うのが聞こえた。

それから数週間が過ぎ、共通の友人の娘の結婚式でレイに会った。以前ならこういう催しにはいつも華やかなレイチェルを同伴していたので、一人で座っている彼の姿は妙にぽつねんとして見える。

披露宴が終わり、ディスコタイムに移行すると、オレンジジュースのグラスを手にしたレイがわたしたちに近づいてきた。

「人事部から返事はあったのか」

連合いが尋ねるとレイは言った。

「来ない。埒があかないから、俺を面接したマネージャーにも直談判したよ。そしたら、いまは面接の結果も全部○×式で入力してコンピューターが合否を決めるって言われた。アルゴリズムだから、信じられない応募者が不採用になることがあるって言ってた」

「で、ほかの派遣スタッフはどうだったんだ？」

と連合いが聞くと、レイは答えた。

「みんな採用された。落ちたのは俺だけ」

「……そうか」

「ポーランド人やルーマニア人、ポルトガル人もいて、経験浅いし、知識もないし、英語もろくに操れやしねえ」

「おめえ、これを機にネオナチになったりすんなよな」

連合いが言うとレイが笑った。

「いや、そういうんじゃなくて、なんていうか、あいつら若いんだよ。仕事もできないくせに、やる気だけは満々で……」

「ああ」

「なんか、いいよなと思ったりする」

レイはそう言ってぐいっとジュースを飲み、ダンスフロアのほうに行った。新郎新婦の両親のリクエストタイムが始まっており、ザ・フーの「マイ・ジェネレーション」がかかったからだ。

ほんとうはレイもわかっているのだろう。

それを認めたくないから、いつまでもごねていたのかもしれない。

老いる前に俺は死にたいぜ
これがマイ・ジェネレーション

マイ・ジェネレーションさ、ベイビー

「マイ・ジェネレーション」は社会に居場所を探そうとしている歌だとピート・タウンゼントが言ったことがある。ザ・フーにのぼせた世代は居場所を見つけたんだろうか。それとも、探し当てないうちに退場の仕方を探すことになってしまったのだろうか。

レイはいまも同じ会社で派遣エンジニアとして働いている。

「労働者の合理性」なんだろう。

レイチェルは新しい恋人の子どもを妊娠したそうだ。

恐る恐る中和のタトゥーの話をすると、俺のタトゥーは俺の歴史を刻むもの、とドヤ顔で言われた。レーザー除去とかするやつは邪道なのだそうだ。うんうん、ワーキング・クラスは簡単にいろんなものを消して、なかったことにしないいんだよと連合いも頷(うなず)いている。

これがゼア・ジェネレーション。

ゼア・ジェネレーションなんだろう。ベイビー。

14 Killing Me Softly——俺たちのＮＨＳ

九月からずっと、頭が痛いと連合いが言っている。

咳をしたり、クシャミをしたりするときが大変だそうで、両手で頭を押さえてないと耐え難い激痛が走るらしい。

「そんなに痛いなら、医者に行くしかないでしょ」

と言い続けているのだが、そのままである。連合いがモノグサで病院に行くのを嫌がるからではない。病院に到達するまでの経緯が茨の道すぎるからである。

英国の医療制度というやつは、大まかに分けてＮＨＳ（国民保健サービス）とプライベート（民間医療施設）の二つに分かれる。で、早い話が、自分でお金を払って治療を受けられる人はプライベートを、無料で治療を受けたい人はＮＨＳを利用することになる。

このＮＨＳについては、『花の命はノー・フューチャー DELUXE EDITION』（ちくま文庫）に収められた文章の中で、どれほど利用するのが困難かということを書いたことがある。だいたい、ＮＨＳという医療制度は、日本人であるわたしには最初、謎のシステムであった。日本なら、膝が痛ければ整形外科へ、胃が痛ければ内科へ、体に湿疹ができたら皮膚科へというふうに最初から行きたい病院に行く。が、NHSの場合は、まず自分が登録している地域の診療所に行って、GP（ジェネラル・プラクティショナー）という、ほんとにジェネラルに何でも診てくれる（まあだいたいは話を聞くだけの）主治医に診てもらわねばならない。

で、そこでGPが「ありゃ、これはマジで専門医の診断が必要かも」と判断すれば、外科、内科、皮膚科、耳鼻咽喉科などの専門医へ紹介状を送ってくれて、専門医から患者に「この日に貴様の予約を入れておく。予約日時変更を望む場合は電話してきやがれ」みたいな手紙が来る（注：文面はこの通りではない）。で、ここまでですでに二カ月ぐらいの月日が過ぎているよというのが十年前の話だったが、じつはあれから事態はさらに悪化している。

例えばうちの近所の診療所。ここでGPに診てもらうアポを取るためには、朝八時に電話を入れることになっており、みんなが一斉に電話を入れるからいつも話し中で、まるで人気歌手のコンサートのチケットを取るぐらい大変。と書いたのが十年前だったが、これがさらに困難になっている。まず、近所の診療所では、朝八時に電話するシステムが廃止になった。じゃあどうすればいいのかというと、医者に会いたきゃ朝八時に診療所に直接来いというのだ。おかげで診療所の玄関前にはオープン前から長蛇の列ができている。しかもこれ、八時に診療所が開いたらそのまま診てもらえるわけではない。あくまでも、予約を入れるための列だから、受付で予約を入れたらいったん帰宅して予約時間にまた出直す。寒い冬の朝、老人や子連れのお母さんなんかが毛布を体に巻いたりしてゴホゴホ言いながら並んでいる姿は、どこの発展途上国の人々が医療を求めて列をなしているのかと思うほどだった。

が、それから数年たつと、今度は並んだだけでは診察の予約が取れなくなった。いや、並ぶのは同じなんだが、まずGPと電話で話す予約を取ることになったのだ。つまり、GPが診療の合間にあなたに電話しますから自分で病状を説明してください、そこで本当にあなたがヤバイ状態にあり、実際に診る必要があるとGPが判断したときだけ診察の予約を入れてやりましょう、という、診療所が患者を選ぶシステムが始まったのである。

が、これがけっこう難儀なシステムで、GPは暇ができたときに電話してくるから、「何時頃に電話ください」と時間指定はできない。だから、職場で打ち合わせ中とか、車を運転中とかで電話を取りそこなったりすると、電話をかけ直してもGPはもう次の患者を診ていたりして、話す機会を逃す。つまり、朝早くから診療所の前に並び、受付で医師から電話を貰う約束を取り付けると、その日は仕事を休んで一日ずっと電話に備えて待機していることにでもしないと、もはや診察予約を入れることすらままならない。

このようにどんどんどんどん予約が入れにくいシステムを導入しやがるのは、患者を減らすためである。これだけ予約のハードルが高くなると、人々はちょっとぐらいのぎっくり腰や蕁麻疹ぐらいなら我慢するようになる（わたしのことだ）。NHSは「できるだけ病院に来るな」というメッセージをがんがん発信しており、最近では救急車を呼ぶ人も減らすため、「111」という番号を設け、まず電話アドバイザーと話をさせてから救急車が必要かどうか判断する方向に舵を切ろうとしている。

なんでNHSがそんないけずなことをするのかというと、一言でいえばカネがないからだ。

政府が二〇一〇年から緊縮財政を始め、NHSへの支出をケチってきたばかりか、NHSの切り売り民営化を進め、その結果かえって前よりNHSの経営状態が悪化している。

そもそも、英国の場合、NHSを使えば治療は無料（ただし、処方薬のみ個人も負担。一律千三百円ぐらい）だが、民間医療施設なら全額負担だ。「無料ｏｒ全額負担」というのはあまりに極端であり、日本みたいに、どこの病院でも国の保険が使えて一割とか三割とか個人が一部だけ負担するシステムにしたらええやん。とわたしもむかしは考えていた。

が、そのうち、じつはNHSには利便性を超えた側面があるのだということがわかった。NHSそれじたいが、左派の最後の砦（とりで）というか、一つのイデオロギーになっているのだ。

終戦直後の一九四五年、英国では、ナチを倒して英国を勝利に導いたチャーチル首相がなぜか選挙で惨敗し、地べたの人々の熱狂的支持を受けて労働党政権が誕生する。この政権が、いわゆる「ゆりかごから墓場まで」の福祉国家時代の英国を築いた。で、その目玉がNHSの設立であった。当時は、庶民が民間の医療商人たちのカモにされ、貧しい子どもや老人が医師に診てもらえずに死ぬこともあった。だから労働党は、NHSという夢の医療制度を打ち建てた。

「病気とは人々が金銭を払ってする道楽ではないし、罰金を払わねばならぬ犯罪でもない。そそれは共同体がコストを分担すべき災難である」（ｂｙ　NHS創立の父、アナイリン・ベヴァン）がその発足理念だ。

英国の多くの人々は、米国なんかがしょっちゅう医療保険の問題で揉めている姿を、「野蛮な人たちね」みたいな目で見ていた。英国は収入や人種、社会階層など関係なく誰もが無料で治療してもらえる平等な医療制度を持ち、七十年もそれを維持してきた洗練された国だと考えていたし、それを誇りに思ってきた。

が。

地方の街の地べたレベルでは、もはやＮＨＳは機能していない。

その証拠に、うちの連合いの頭痛も、何カ月たっても治らない。というか、専門医に診てもらうことすらできない。数々の難関と幾度かの失敗（早起きして診療所の列に並びに行ったら、連合いの直前でＧＰから電話を貰う予約の受付が終わってしまった、とか、ＧＰから携帯に電話がかかったときにダンプ運転中で、しかもＦＭで好きな曲がかかって大声で歌ってたので呼び出し音が聞こえなかった、とか）を乗り越え、一カ月かけてようやくＧＰに診てもらう予約を取ったのだが、これがいつものＧＰが休みか何かで若い見習いＧＰにあたって、先方はネットで検索しながら診断しているような体たらくだ。「オッケー、オッケー、たぶんオーライ」と適当なことを言われて鎮痛剤を処方されたが、頭痛は治らない。

ついに、しかたなく連合いは奥の手を使うことにした。じつは彼は癌にかかったことがあるので、何か不安な症状が出たら、癌科に直接電話をかけて相談できるようになっているのだ。連合いは、ＮＨＳの大変な状況を知っているので、頭痛ぐらいで癌科の貴重な時間を使いたくないと言い張っていたのだが、あまりに頭が痛いので、癌科のアポを取った。だが担当医師との予約は九週間後だ。

「癌科の予約が九週間待ちってすごくない？」

とわたしが驚くと、連合いは答えた。

「うん。待ってる間に死ぬ人もいると思う」

二〇一〇年に保守党政権が緊縮財政を始めたとき、英国では平均寿命の伸びがぱったり止まった。「ほら緊縮財政のせいだー」「だから政府は財政支出を行えー」とわたしのような反緊縮派と呼ばれる人間は嬉々として叫ぶ。が、それは、実際にはこういうことなのだ。一刻の猶予も許されないシリアスな疾患を扱う科でも、医師の診察に九週間待ちである。癌科だぞ。眼科じゃねえんだ。

で、こういうことになってくるとどうなるかというと、やっぱりみんな命は大事なので、民間の病院を使うようになる。ところが、民間医療保険制度に入ってない人たち（民間医療保険を福利厚生として雇用者に提供する企業に勤めてない人たち。つまり、貧民街の人たち。例えば、わが家）は、医療費を一〇〇％支払うことになる。例えば、うちの連合いのように何カ月も頭が痛かったりすると、頭部のスキャンを撮ったほうがいいんじゃないかと思うが、それがいくらかかるかと言えば、

「スキャンとか民間の病院でやったら昔は千ポンド（約十四万円）ぐらいしてたんだよ。いまならたぶん、五百ポンド（約七万円）ぐらいするんじゃねえかなあ」

と連合いはあてずっぽうで言っていたけれども、ネットで調べると、本当に全国的な平均プライスは五百ポンドだった。こんなんだから、最近は貧民街でも医療費破産というか、医療費のために消費者ローンで借金して深刻な状況に追い込まれ、自己破産する人や夜逃げする人な

んかもいる。

　うちの連合いはステージ4を宣告された癌患者だったくせに、なぜか奇跡的に治った強運の持ち主だ。「ステージ4でもサヴァイヴする人いるんだね」「最初の診断が間違ってたんだろ」と周囲にも驚かれたが、いつまでもその運が続くわけでもないだろう。なんやかんや言って彼も六十二歳のおっさんだ。労働者階級の人間は、ホワイトカラーより早死にすると言われているのだから用心するに越したことはない。

「プライベートでスキャン撮ってもらいな。本の印税をへそくっていたからカネならある。心配すんな」

　と言ったのだが、全然スキャンの予約を入れようとしない。痺（しび）れを切らしたわたしが予約を入れようとすると、彼は言った。

「余計なことをするな」

「余計なことって何よ。そりゃ、そろそろいつ死んでもいい年ごろだけど、うちはまだ子どもが小さいんだからスキャンしといで」

　と言っても、断固として民間の病院にかかることを拒否する。

「だから、カネの心配はするなって言ってるでしょ」

「そういうことじゃない」

「スキャンは痛くないよ。注射じゃないんだから」

「アホか。それでもない」

「じゃあ、なんなのよ」

と問い詰めると連合いは言った。

「いや何か、それじゃ敗けた気がして」

出た出た出た……、と思った。「ハマータウンのおっさん」世代の福祉国家への拘泥というか執着というか「俺たちのNHS」愛が噴出している。が、NHSのほうではもう財源がないから自分のことは忘れてくれ、とこれだけ明らかに人々に言っているのだ。どんだけ愛しても見切りをつけなきゃいけないときもある。ましてや愛のために命までかけてどうするのだ。

最近、ガーディアンという新聞に載っていた記事によれば、NHSで診察や治療を待たされている癌患者の数はやっぱり史上最高になってるらしい。NHSでは、他の病棟がどんなに患者を待たせていようとも、癌病棟だけは、GPから回されてきた患者を十四日以上待たせてはいけないというガイドラインがある。

が、そんなものは法律でも何でもなく、組織内の指針なので、人手が足りないとかインフラが少ないとかで守れない病院もある。現在、イングランド全体で一カ月におよそ一万八千人の人々が、このガイドラインで定められた期間以上の待ち時間を経験させられている。

二〇一八年十一月を例にとれば、GPから癌病棟での診察が緊急に必要と見なされた患者のうち約一万五千人が十四日以内に診察を受けられなかった。さらに約三千人の癌の告知を受けた患者たちが、指針で定められた六十二日以内に治療を始めることができなかった。

「患者がこのような遅延を経験するようになると、癌の診断を受けたとき、待たされたことが病状に影響をおよぼしたのではないかと疑問を持つようになります。このような状況で看護師が患者を安心させるのは難しく、それでなくても彼らが感じている不安やストレスをさらに悪化させてしまいます」と英国看護協会の代表がガーディアン紙に話している。

このような体たらくになってしまったのは、保守党が二〇一〇年に政権を握って、戦後最大級の緊縮財政政策を始めてからだが、うちの連合いが癌の治療を受けたのはその前のことであり、癌病棟が患者を待たせずに運営されていた時代だ。「あの頃、癌にかかったのはラッキーだったね」と連合いはしみじみ言うが、癌にかかるだけでも不運なのに、その上、不運な時代に治療しなくちゃいけないとなると、そりゃあ人々の怒りが噴出しても無理はない。

ＥＵ離脱の国民投票が行われたとき、「ブレグジットすればＥＵへの拠出金週三億五千万ポンド（約五百億円）をＮＨＳの資金として使える」という離脱派が流したデマが、離脱派勝利の決定的な要因の一つになった。これは海外でも大きく報道されたし、こんなしょうもないデマに騙（だま）された英国人というのはバカなのかと嘲笑されたが、その裏には、このような事情があったのである。「ＮＨＳが改善される」と言ったら、英国の地べたの人々にはたとえウソでもすがりつきたくなるような悲惨な状況があるのだ。

入院や手術が必要になったとき、金持ちなら医療費全額負担で民間の病院にかかれる。しかし、庶民にそれは難しい。でも痛いとかつらいとかは耐え難いし、病を放置して死にたくもない。ならばどうするかというと、借金して民間医療にかかり、返済に苦しんだり夜逃げしたりするわけだが、こういう人たちはよく「ＮＨＳの待合室は移民だらけ。ＮＨＳが移民にハイジャックされている」とか言う。で、英国在住の年数が浅い頃の移民の立場は自分も辿(たど)った道なのでよくわかるが、移民は英国人のようにクレジットヒストリー（信用履歴）がないので大金を借してくれる金融機関がなく、借金して民間の病院で手術したりすることは、したくともできない。だから、どんなに待たされようとNHSにかかるしかない。つまり、NHSを使う移民が増えたというより、英国人が民間医療施設を使うようになったので、移民ばかりがNHSを使っているように見えるということなのだ。

なのに、借金返済に苦しみながら民間医療を使っている英国人は「なんで移民が無料で医療を受けていて、俺らは高いカネを払って民間の病院に行ってるんだ」とか言い出すし、移民は移民で「あんなことを言う英国人は排外主義者」とか言って、例によって社会の分断が深まるのである。

もともとは貧富の差や人種の違い、国籍など関係なく、すべての人を平等に無料で治療するという美しい理念で発足したNHSが、人々の羨望(せんぼう)や憎悪や分裂を作り出している現状は皮肉だ。これ、どうしてこんなことになってしまったのかというと、何度も何度も何度もわたしはいたるところで書きまくっているけれども、やっぱりもう一度言うが、緊縮財政のせいである。

英国在住者はすべて無償で等しく面倒見ますという太っ腹な国家医療制度に、国家がケチって財政を投入しなくなったから立ちゆかなくなったのだ。で、財政を投入できない理由は「国が借金だらけで破綻するから」という、いつもの新自由主義（a.k.a.「小さな政府最高」主義）のギミックである。

ブレグジットのせいで英国は混迷をきわめているという印象が海外では広がっているが、そのずっと前から末端の地べた社会はボロボロだった。金がないから民間の病院に行けず、NHSでは何週間も何カ月も待たされて医師に診てもらえない、という社会は、これははっきり言って、貧乏人は医師に診てもらえなかった戦前の時代に戻ったということである。

が、わたしのような日本人からすれば、むかしが良すぎたのかなという気がまったくしないわけでもない。だってわたしなんかは、NHSから無料でIVF（体外受精）治療をしてもらって妊娠し、出産もタダだったわけだし、連合いも無料で癌の治療を受けた。もしNHSが存在しなければ、たとえばここが日本だったりしたら、子どももいないし、配偶者は癌で死亡して、天涯孤独の身になっていただろう。わたしに家族がいるのはNHSがあるからだ。だから、子どもは欲しいけどIVF治療は高すぎて無理と言う日本の人など見ると、自分のラッキーさを痛感する。

かようにNHSの理念は美しく、素晴らしい。英国は、たとえ王室を廃止しても、NHSだけは守らなければいけないという人々の主張は感動的だし、わたしもそう思うし、是非そうお願いしたい。

しかし、これにしても意地の悪い言い方をすれば、英国内だけでの美しさ、素晴らしさである。全世界の人々が無料で医療を受けられるようにでもならなければ、それは「英国に住んでいる人々にとってラッキーなこと」に過ぎない。

「だけど、NHSをなくしたら、俺らは英国が福祉国家だった頃の遺産をすべて失うことになる。サッチャーに負けたことになる」

と連合いは言う。ハマータウンのおっさん世代は、反サッチャーの気風が強い。彼らが若いときにストやらデモやらで戦った超強力な敵は、いまでも英国やEUの新自由主義的政策の中に生きているそうで、メイ首相やマクロン大統領に憑依（ひょうい）しているというのだ。

英国では、先日、ベネディクト・カンバーバッチが前頭部禿げ上がりの特殊メイクでEU離脱キャンペーンの統括責任者を演じた二時間ドラマが放送された。「Brexit: The Uncivil War」というこのドラマの中でも、離脱キャンペーンが使った宣伝用マイクロバスのど真ん中には「NHS」と書かれていた。

残留派は、離脱キャンペーンが言っているEUへの拠出金をNHSのために使えるというのは事実無根のデマだと、データを使ってきっちりと否定した。だが、「じゃあ、NHSはこれからも良くなることはないのか」という人々の絶望感に対して、「緊縮をやめて政府がもっと財政投入します。絶対に改善します」と言うことができなかった。キャメロン元首相やオズボーン元財務相が残留派のリーダーだったのだから、彼らが一言そう言えばよかったのだ。なのに彼らはそうするどころか、グローバル化の時代には、NHSのような国家社会主義的なものは時代遅れだと軽視しているかのような印象すら与えてしまったのである。

「My headache is killing me.」

毎日のように連合いは言う。頭痛に殺されるぐらいなら、さっさと金を払って民間の医療施設に行ったほうがいいと思うのだが、どうやらNHSの癌病棟の医師の診察を受けられるまで、九週間も待つつもりらしい。

「NHS is killing you softly.」

「Killing Me Softly」という有名な歌の題名（もちろん、あの歌ではKillingはフィジカルな意味で使われているわけではないが）をもじってわたしは答えた。脇でご飯を食べていた息子がぷっと笑って言った。

「自分の健康とお金と、どっちが大事なの？」

「だから、これは健康と金だけの問題じゃない。もっと大きなものだ。俺はサッチャーにもグローバル資本主義にも負けたくねえし、加担したくもねえ」

と啖呵（たんか）を切った連合いに息子が言う。

「でもサッチャーなんてもう死んだ人でしょ。それに、父ちゃんのそのケチさは、まるで死んだ祖父ちゃんそのもの」

死んだ祖父ちゃんというのは連合いの父親のことだ。義父は、若い頃はアルコール依存症やDVで義母を泣かせたらしいが、アイルランドからロンドンに移住したのをきっかけに起死回生の大変身を果たし、ロンドン地下鉄の夜間線路整備員となり、残業や休日出勤を極限までやりまくる仕事の鬼になった。そして連合いが十八歳のとき、過労死のような亡くなり方をしたという。

アルコールをやめた彼は、酒の代わりに貯金に依存していたのだろう。年がら年中同じ服を着て、毎日シャワーを浴びるのはもったいないとか言ってちょっと臭ったらしいし、たいそう吝嗇だったので家族全員から嫌われた。が、彼が亡くなったとき、家族はその預金残高を見て驚愕したのだった。

そのおかげで義母は夫の死後はアイルランドに戻って家を買い、働く必要もなく楽に生きられたのだが、連合いは父親の人生は悲しすぎたと批判的なのだった。

「俺はケチで言ってるんじゃない。これは政治的な問題だ」

と連合いは言うが、息子は笑った。

「いや、父ちゃんケチ。祖父ちゃんに似てる」

「似てるっておめえ、俺の親父に会ったことないだろ」

「会ったことないけど、父ちゃんの話を聞いていると、そっくりだもん」

息子にそうからかわれ、連合いがぼそっと呟いた。

「だからと言って、俺があんな大金を残して死ぬと思うなよ。……労働者階級が必死で働けば貯金できた時代は、もう終わったんだ。いまどきのケチ臭い親父にはもう、奇跡は起こせない」

その物言いが妙にしんみりとした余韻を残したので、何か良からぬことが起こる前兆ではないかという気がしてきて、連合いに内緒で私立病院に頭部スキャンの予約を入れた。当日になったら、適当にだまくらかして連れて行けばいいのだ。

が、あれほど予約確認の手紙を送るのはやめてくださいと頼んだのに、翌日、当該病院から予約日時を確認する封書が届いた。もちろん連合いの名前宛てで来たものだから、予約を入れたのが早くもバレバレだ。即行で本人からキャンセルを入れられてしまった。

「待ち時間が二カ月を切ったし、俺はＮＨＳに行く」

とあくまでも言い張るのである。この人は、じわじわＮＨＳに殺されるつもりなんだろうか。

「NHS is killing you.」と言うと、連合いが答えた。

「So be it.（それならそれでいい）」

「Killing Me Softly」って実はラブソングなんだよなと思い出しながらわたしは諦めのため息をついた。

だが、連合い風に言うなら、これはＮＨＳよりも大きな問題なのかもしれない。反サッチャリズムも反グローバリズムもＥＵ離脱も、すべては繋がり、絡まり合っているのだ。

ハマータウンのおっさん世代はいま、社会に対して最後の抵抗をしているのかもしれない。

15　君が僕を知っている

スティーヴの母親が亡くなったのは、昨年の十二月の初めのことだった。

クリスマスの前だったので、みんな慌ただしく何かに追われていた時期だった。だから教会で行われた葬儀の後、地域のコミュニティセンターのパブで（なぜコミュニティセンターにパブがあるのかと聞かれると、それはわたしにもわからない。でも、うちの地域のコミュニティセンターにはむかしから、なぜかカフェじゃなくてパブがある）「偲ぶ会」が行われたときにも、「子どものクリスマスプレゼントは全部買ったか」とか「あそこの店でラッピングペーパーが三本で一ポンドだった」とかそういう話ばっかりで、みんな肉親を失ったスティーヴの気持ちをリスペクトしなさ過ぎなんじゃないかと思ったが、本人はそのほうが気が楽そうだった。

スティーヴはコミュニティセンター内の図書室兼子ども遊戯室（なんでそんなふつうは相容れないはずの二つの機能を持つ部屋が一つになっているのかという事情は、第7話「ノー・サレンダー」参照）の常連だ。で、図書室の利用者なのか、子ども遊戯室のスタッフなのかよくわからない状態ですっかり地元コミュニティの人気者になっているので、葬儀に詰めかけた人々も多彩だった。若いお母さんや幼児や赤ん坊、スティーヴが働くスーパーの同僚の大学生バイトやパートのお母さんたちや移民の人々、スティーヴの友人のおっさんたち、そして亡くなった母親の友人だった高齢者たち。こんなに幅広い年齢層や国籍や、人生の様々なステージにいる人々がわいわい集まった葬儀を見たことがない。

「スティーヴの人徳だよね」

とビールを飲みながら言ったら、

「うん。彼を見ているとブレグジッター（EU離脱派）の中にもクールな人がいるんだって思う」

と、スティーヴと同じスーパーで働いているブライトン大学の学生が言っていた。理念と理念で対立し合う時代から、人と人が対話する時代へ。なんつうことがEU離脱で大揉めの英国では最近しきりに政治家や知識人の口から出るけれども、そういうことが机上の理念ではなくて本当に始まるのは、メディアでも学会でも議会でもなく、いつだって地べたである。

聞けば大学生の青年はイングランド中部の出身で、実家から遠く離れたブライトン大学で勉強している。だから、スティーヴが何かと気にかけて細々したことの相談に乗ったり、世話をしたりしているという。まあスティーヴの場合、尊敬すべき賢人というより、単に面倒見のいいおっさんなのだが、いまは彼みたいな人が希少価値になっているということなのだろう。

たくさんの人たちに囲まれ、笑いの絶えない葬儀の日を終えたスティーヴは、おそらく一人でクリスマスの日を過ごした。「うちに七面鳥を食べに来ない？　一緒に教会に行って、クリスマス・ランチを食べよう」と誘ったが、イヴもスーパーで仕事だし、クリスマスの翌日のボクシング・デー（祝日）も朝からレジに入ることになっているので、クリスマスはゆっくり寝ていたいと言っていた。

昨年までは認知症が進んでいた母親のために、スティーヴがクリスマスの七面鳥を焼いていた。せっかくクリスマスの料理労働から解放されたのだから、寝正月ならぬ寝クリスマスを過ごしたいという気持ちはわからんこともないような気がした。

一月は英国ではもっとも人心が沈む月だと言われている。クリスマスで散財した支払いがリアルに家計を圧迫し、楽しいパーティーやごちそうの季節の後は無駄に増えた体重だけが残った、という空しみのある季節だ。せっかく断酒していたのにまたもやクリスマスのどさくさで飲み始めてしまった人、着飾って出かけたパーティーで酔って不埒（ふらち）なことをしてパートナーと破局した人、子どものために奮発して買った高価な玩具がセールで半額になっているのを見てクリスマスなんて廃止にしろと憤っている人、など、様々な人が様々なトラブルや悲しみや憤りを抱えている月が一月である。

このように陰気で人々がカネを使わない月に、英国のスーパーやショップが打ち出してくるのが「ニュー・イヤー、ニュー・ユー（新しい年、新しいあなた）」キャンペーンだ。具体的に何のことかというと、「ヘルシーになろう」商戦である。年末は飲み過ぎました、食べ過ぎました、健康のことを考えずにぶくぶく太りました。さあ新年はエクササイズでスリムに生まれ変わったあなたとナイス・トゥー・ミーチュー！　ってやつである。

だから、毎年毎年、一月になると店頭にスポーツウェアが並び出す。ランニングシューズ、フェイスタオル、ウォーターボトル等々だ。ということはけっこう毎年売れているんだろうし、英国人というのはわりと単純というか、乗せられやすいところがある。

年末に母を亡くしたスティーヴまで急にタオルを肩にかけて近所をジョギングし始めたので、今年は世間のトレンドに乗ることにしたんだろうか、と思っていると、そうではなかった。犬を走らせていたのである。

約二年前、彼の母親の認知症が進んだときに、それまでかわいがっていた愛犬デュークを急に嫌がるようになったので、スティーブは同僚の家に養子に出した。そのデュークを、再び家に連れ戻したのである。

「あなたのこと、まだ覚えてた？」と聞いたら、「あたり前だろう」とスティーヴは満面の笑みを浮かべた。冬枯れした芝生と同じ色をした白っぽいベージュのラブラドール・レトリバーは、同僚の家に養子に行く前、八年も彼と彼の母親に飼われていたのだ。だから、すでにけっこう高齢になるのだが、ハッハッと言いながらスティーヴと仲良くジョギングしている。

「じいさん二人で無理しないでね」と言ったら、「誰がじいさんなんだよ」とスティーヴはまたうれしそうに笑っていた。知らない人が見たら、単なる「一月のエクササイズで生まれ変わろうブーム」に乗ったおっさんと愛犬にしか見えないが、とにかく二人は走る、走る。日が長くなって五時ぐらいまで明るくなってきた街の舗道を、丘の上の公園の遊歩道を、まるで若者のように精力的に走りまくっているので、うちの連合いなど真顔で「おまえ、心臓発作に気をつけろよ」とスティーヴに警告したほどだ。

年末に親族を亡くすと、「一年で最も憂鬱な月」がその次にやってくる。が、デュークのおかげで、スティーヴは健康的にそれを乗り越えようとしていた。

犬というのはあなどれないもので、例えばうちの息子が通っている中学校には常駐のセラピー犬がいる。これは特別な訓練を受けた犬だそうで、問題を抱えた生徒たちと触れ合うことで彼らの心を癒したり、本を読むのが苦手な生徒の脇に座っているだけで生徒の読書時間が長くなったり、実に様々な効果をあげているらしい。

実は昨年、身近なところでも犬の力を実感することが起きた。何を隠そう日本のわたしの実家の話だが、うちは母親が重度の双極性障害であり、一年のほとんどの時期を寝たきり、というか、引きこもりとして生活しているので、家事そのほか家のことはすべて親父がやっている。大酒飲みでたいへんマッチョな肉体労働者だったのに、人は環境しだいでリボーンするものである。家事はおろか銀行通帳がどこにあるかも知らなかった七十代のじいさんが、清掃も料理も洗濯も本気でやり出したら母よりずっと丁寧で上手であり、家計簿まで几帳面（きちょうめん）につけて家計を管理している。

しかし、家事で忙しくしていても母に引きこもられた親父は孤独だった。

無類の犬好きなので「犬でも飼えば？」と提案したが、七年前に最後に飼っていた犬を亡くして以来、「この年になったら、最期まで責任が取れるかわからんけん、もう犬はいらん」と言い続けた。

が、昨年の夏、「犬をプレゼントしよう。家に来たら嫌とは言えんはず」と言い出したのは約十年ぶりに日本帰省について来た連合いだった。「ファンタスティック・アイディア！」と息子もそれに乗った。悲しく悟って何もしない日本勢と違って、ブリテン勢はいきなり行動を起こす。思いついたが吉日とばかりに地元のブリーダーを訪ね、柴犬の子犬を分けてもらい、唐突にそれを実家に置いて英国に戻ってきたのだった。

案の定、親父は子犬をだいじに育て始めた。どうしてもっと早くこうしなかったんだろう、と後悔したほど、うれしさが滲み出ている柴犬の写真を携帯で送ってきた。「一緒に寝ています」「散歩に連れて行くとかわいいと言われます」など文面もデレデレである。

ふしぎなことに、引きこもりだった母まで時々部屋から出て柴犬を見に来るようになったという。そのうち、食べ物をやったり、なでたりするようになったそうで、まさにドッグ・セラピーだ。さらには、母からきつい言葉であたられるので実家を忌避していた妹まで犬に会うために実家を訪ねるようになった。セラピーどころか、柴犬は家族のハブの役割さえ果たすようになっていたのである。

英国で涙をためてこの話を聞いていたおっさんがスティーヴだった。母親が亡くなったとき、人に渡したデュークを呼び戻す決意をしたのも、わたしの実家の話を聞いたからだったらしい。わたしの家族のクライシスが、柴犬のおかげでミラクルのように緩和されていると聞き、何か彼なりに考えるところがあったのだろう。

「犬ってのは、ほんと凄いね。かなわないと思う」

父親が送ってきた柴犬の画像を見せながらわたしがそう漏らすと、スティーヴは言った。

「そりゃかなわんよ。だってあいつら、人間のことは何だって知っている」

そのとき、わたしの頭の中に唐突に聞こえてきたのは忌野清志郎の歌声だった。菊地成孔が『レクイエムの名手』（亜紀書房）収録の忌野清志郎追悼文の中で、清志郎の歌を聞いて「（前略）ワタシは全身全霊が泣き果てて、泣いて泣いて、この曲が終わる前に、幸福で死んでしまうのではないかと思いました」と書いているのは、たぶん「君が僕を知ってる」という曲のことだろう。

何から何まで君がわかっていてくれる
僕の事すべてわかっていてくれる
上から下まで全部わかっていてくれる

これは人間どうしの関係じゃないだろう。人間は言葉を喋るからぽろっとボロが出て、「ほらわかってくれてないじゃないか」「君は僕のことなんか何もわかっていない」みたいな口論になり、疑いや憎悪が生まれる。が、犬は喋ることができないから、僕の事すべてわかっていてくれる、上から下まで全部わかっていてくれる、などという自分勝手な人間の妄想を押し付ける対象になれる。

そして犬が本当に偉いのは、そんな人間の勝手な妄想を受容して生きているところだ。

こんなことは人間にはできない。よく思うが、西洋の絵画で天使が小さな生物として描かれているのは、あれは人間の子どもというわけではなく、犬のことなんじゃないだろうか。

とはいえ、天使が起こす奇跡にも終わりはある。うちの実家の母親は犬に飽きたようで、また長い引きこもり生活に突入した。

親父は例によって寂しそうにこたつ端でひとり晩酌をしているのかと思う。が、いまは柴犬が脇に座っているのだろう。こたつに座っている犬の画像ばかり送られてくるようになった。

スティーヴは母親の年金がなくなったので、スーパーのシフトの時間を増やした。賞味期限切れの肉を貰って来ては、パックに高い値段がついている上等な肉のほうをデュークに食べさせている。

以前はスマホで写真を撮るのが嫌いだったスティーヴが、さいきんやたらとデュークの画像を送ってくるので、うちの親父にもたまに転送している。すると親父も、お返しで柴犬の写真を送ってくるので、これもまたスティーヴに転送する。

地球のこちら側とあちら側に住むおっさんとじいさんが、わたしを介して愛犬通信を送り合っている。ふつうだったら知り合うはずもない男たちが、人生の寒い冬の季節に、互いの同居犬の画像を送り合い、遠い国で微笑(ほほえ)み合っている。

やっぱり犬たちには、どうしたってかなわない。

16 ときめきトゥナイト

こんまりブームが英国にもやってきた。

こういう米国から入って来る流行りものは、最初にお洒落リベラル系メディアが取り上げ、スタイリッシュで知的な人々が面白がり、それがだんだん社会の裾野に降りてくるわけだが、さすがに連合いや友人のおっさんたちにまで広がってくると飽和した感がある。

うちの連合いも物を捨てずに倉庫やら何やらに貯め込むほうなので、居間で正座させてNetflixの『Konmari ～人生がときめく片づけの魔法～』を見せた（が、「出てくる住宅が俺らの家よりずっと立派で大きいからこんなものは参考にならん」というのが彼の説）。しかし、懐疑的な連合いとは対照的に、すっかり「こんまり信者」になっているのがサイモンだ。

サイモンは、今年に入って無職になった。ドライバーの派遣会社に登録し、そこからロイヤルメール（英国で郵便事業を行う会社）に夜間シフトのトラック運転手として派遣されていたのだが、今年一月、業務中に交通事故を起こしてしまったのである。

幸い、人身事故とか大事には至らず、ちょっとした接触事故で、相手の車の後部を擦ってちょっと塗装がはげた程度の、相手によってはこっそり示談で済ませられる事故だったが、ここがいかにも不運なサイモンである。トラックで擦ってしまった車を運転していたのは、出勤中の警察官だった。

だからすべてに正規のやり方が採択され、サイモンの事故はロイヤルメールや派遣会社にも知られるところとなり、罰則が科された。ロイヤルメールは自由化される前まで英国の郵便事業を独占していた政府の会社なのでそこらへんは厳しい。派遣スタッフは、その事故の大小にかかわらず、いっぺん交通事故を起こしてしまったら半年は働くことを禁止されるという。

サイモンは、派遣会社にロイヤルメール以外の職場には派遣されたくないと言っているので、いきなり無職になった。なぜロイヤルメール以外の職場が嫌なのかというと、賃金は激安だし、運転以外の仕事もさせられるし、非常にブラックな職場が多いからだそうだ。非人道的な雇用待遇では働けないし、そういう職場で働いて新自由主義に加担するのは耐えられないと言う。サイモンは組合や労働運動への思い入れがたいへん強い人なのだ。

幸い、彼は旅行が趣味の人で、アジアやアフリカに旅行するために貯金をしているから、無職になってもそれを取り崩せばご飯は食べていけるらしい。で、これ幸いと彼が取り掛かったのが、自宅の片付けである。

ずっと両親の家に住み、貯金しては海外を旅する、という気ままな生活を送ってきたサイモンも両親が他界してからは、広い家で一人暮らしになった。が、三年前、彼が住んでいるエセックス州の大学に甥っ子が入学し、家賃を浮かすために彼の家に転がり込んできてからは、二人で生活していたが、このたび甥っ子がガールフレンドと同棲することになったのでまた一人になった。

で、これを機に、両親が相次いで亡くなったときには向き合うことができなかった遺留品の整理を含め、家の中にごちゃごちゃある物品を断捨離しようと決めたらしい。

「こんまりには不思議なパワーがある。日本人は片付けを始める前に床に座って家にお祈りを捧げるだろう？　あれを最初に見たときは、俺は感極まってなんか泣きそうになった」

と言っているサイモンを見たときには、悪いカルト宗教に騙されそうなおっさんを目のあたりにした気分になって、「あれは禅とか、東洋の神秘みたいな異国情緒にすぐやられちゃう西洋人を狙ったマーケティングであって、片付けする前に日本人がみんな祈ってるわけじゃないから」と言うと、脇から連合いも「うん。だってこいつも日本人だけど、家を片付けるときにはお祈りどころか『そこらに散らばってるものはひとつ残らず捨てるからな！』って怒鳴り散らしてる」とわたしの発言をフォローした。

しかしサイモンによれば、それはわたしが二十三年も英国に住んで日本的な資質を失っているからであり、純粋培養の日本人には西洋の人間たちが学ぶべき美しいスピリチュアリティがあると言って聞かないのだった。よく考えてみると、彼は若い頃にイスラエルのキブツでバナナを育てたり、スペインのトマト農家で働いたりして、自分探しの旅をしながら異文化をつまみ食いしてきた人だ。英国のこんまりブームを支えているのは、わりとこういう、異国のものに現状突破の可能性を探しがちな人たちなんじゃないかと思う。

「日本に行きたい」

とマジでサイモンが言い始めてしまったので、こんまりメソッドの国を期待して日本に行くと、例えばあの国は街の景観のプランニングなんかしてないので、色も形も建築様式もバラバラな建物が雑然と並んでいる風景を見ただけで、「整理整頓」の精神などないことがわかると思う。あれほどいろんなことがとっ散らかってる国は世界でも珍しいのではないか。と説明するのだが、サイモンは日本へのドリームを膨らませている。祖国の観光庁は、オリンピック対策と同様に、こんまり的なものを求めて日本に来る観光客が増えることを視野に入れておいたほうがいい。ストリートのごみ箱の前でプラスティックのフォークや空き缶を握りしめ「サンクス」とか言って感謝の祈りを捧げてるやつらはだいたいそうだろう。

こんまりメソッドがこれほど人気になっているのは、混沌とした時代にあって、家の中をきれいに片付けることによって「テイク・バック・コントロール（コントロールを取り戻せ）」願望を満たした気分になれるからだという分析もある。「テイク・バック・コントロール」はEU離脱の国民投票のときに離脱派が使ったスローガンだ。広報・マーケティング関係者から「EU離脱だけでなく、人の人生を表現した天才的スローガン」と絶賛された言葉だったが、ブレグジットなどという大それたことを起こさなくとも家の片付けぐらいでコントロールを取り戻した気分になれるなら安いものだ。近藤麻理恵はどうして二〇一六年以前に大ブームを巻き起こしてくれなかったのだろう。彼女ならEU離脱を止められたかもしれない。

しかし、単なる片付けにスピリチュアリティを混入した掃除法が、英国の労働者階級のおっさんまで虜（とりこ）にするとは誰が想像しただろう。サイモンは、数週間にわたる片付け作業を終え、生まれ変わった家を見に来いと電話してきた。

そんなわけで、わたしたちは週末にエセックス州まで車を走らせたのだったが、家の前に迎えに出て来たサイモンはすでにこんなことを言っていた。

「片付けを始める前、居間のカーペットに座って目を閉じたら、ちょっとこれまで感じたことのないような静謐な気持ちになった」

「だからそれヤバイって」とわたしは笑った。

「これまで家で暮らした人間のこととか、家の中で起きたこととか、俺以外に知っているのは、この家だけだろ。そう思うと、なんかもう家以上のものに思えてきた。……うまく言えないんだけど」

と喋りながらサイモンが玄関を開けた瞬間、それはもはや以前の住宅ではないことがわかった。冬に着るコートだの、ブーツだの長靴だのリュックだのが置かれて見えなくなっていた壁やフロアが出現し、彼の家の玄関ホールはこんなに広い空間だったのかと驚く。

「……違う家みたい」

と言うわたしや連合いの反応を満足そうに見ながら、サイモンが居間に続くドアを開けた。

「ひゃー!」と思わず声が出たのは家の中がきれいになっていたからではない。がらんとしていたからだ。はっきり言って何もない。テーブルとソファとテレビといった基本的な家具以外、すべて姿を消している。キッチンも、寝室も、バスルームも、同じように激烈なまでのミニマリズムで貫かれていた。

「ずいぶん思い切って処分したな」

物を捨てられない性分の連合いも目を見張っている。

「どうしてこれまであれほど多くのものを捨てられなかったのか、不思議なぐらいだった」

とサイモンは言った。

「SPARK JOYを感じるものだけを取っておけ、ってこんまりは言うだろ。俺にはそんな気持ちを感じるものは何もないから、毎日の生活に必要なものだけを残した。そしたらこうなった」

SPARK JOYというのは、こんまりメソッドでは「ときめき」の英訳だ。どう考えてもこれは壮大過ぎる訳語なんじゃないかというのは英国在住日本人のあいだではたびたび話題になっている。「ときめき」というのは、いわゆる胸キュンぐらいの、HEART-POUNDING程度のライトな言葉だと思うのだが、「SPARK JOY＝火花が散るような喜び」となると、そんなものをしょっちゅう体験する人はあまりいないだろう。感傷的な年ごろのティーンなら話は別だが、サイモンぐらいの年になると、「火花が散るような喜び」を感じさせる物などそうあるわけない。

「もう死ぬまでにこんな大掃除はすることないかもしれない。そう考えながら、捨てられるものは全部捨てたよ」

そう言われて家の中を眺めてみると、なんとなく病院にいるような気分になってきた。ひたすら無駄なものがなくて無機質で清潔だからだ。寝室はどことなく病室っぽいし、居間も待合室のように生活感がない。こんなまるで病院で死を待っているような家、いくら六十代でも考え方が老人すぎる。

サイモンは誇らしげに引き出しも開けて見せてくれた。服が全部ちゃんとくるくる小さく畳まれていて、本当にこんまり式だったので笑ったが、チェストの上になぜか子どもの拳ぐらいのサイズの石が置かれているのが目に入った。まさか、スピリチュアル熱が高じて、変な石まで買って信仰してたらどうしよう、と思っているとサイモンが言った。

「それだけは捨てられなかった」

「何これ?」

「子どもの頃、初めて家族で海辺の街に旅行に言ったとき、海岸で拾った」

サイモンが子どもの頃というと、優に半世紀は前の話ではないか。

「ずっと持ってたの?」

「うん。すごく楽しかったんだろうな。ずっと大事に取ってて、そのうちその石を見てもどんな思い出があるのか思い出せなくなったけど、せっかくいままで取ってあったんだから、みたいな感じで捨てられなくなって、今回もやっぱり捨てるのはためらわれた」

「これを握るとSPARK JOYを感じたのか?」

連合いが皮肉っぽく尋ねるとサイモンが答えた。

「NO。全然感じなかった」

その口調があまりにきっぱりしていたのがおかしくてしばらくみんなで笑ったが、笑いがおさまった頃にサイモンが言った。

「でも、きっと子どもの頃はこれを握ると感じてたんじゃないかな。楽しかったことを鮮やかに思い出してたんだと思う。いまはもうそんなふうに何かを思い出すことはなくなったけど……。だからこれはあれかな、言ってみれば、俺のSPARK JOYの墓石」

ときめきの墓石。なんて暗いことを言うんだろう、と思いながらわたしはリュックから菊正宗の瓶を出した。

「本物の日本のSPARK JOYはこの中にある。もう半分しか入ってないけどね」

と言ってマグカップに注いだ菊正宗は正月の残りものだ。人生はあんまりときめきにきらめいてないかもしれないが、酒は金箔できらきらしている。

「きれいだなー。これ、飲めるのか?」

サイモンはそう言って珍しそうに眺めている。

とりあえず、このぐらいのときめきでいいんじゃないか、半世紀以上も生きてきたおっさん、おばはんには。楽しかった夏の思い出はもう遠いが、墓石まではまだちょっと時間がある。

「大丈夫。金箔は飲めるよ」

ぼとぼと酒を注ぎ足せば、黄金のときめきトゥナイトは今宵もマグカップの底に広がっている。

明日になったらときめき成分は便器にちゃんと出てるから、心配すんな。

17 Hear Me Roar——この雄叫(おたけ)びを聞け

「母ちゃんの様子が変だから、時々チェックしてくれたらうれしい」

ワッツアップで隣家の息子からそうメッセージが入った。

わたしらはセミディタッチト・ハウスと英国で呼ばれる家屋に住んでおり、それは一軒の家を真ん中から分けて二世帯で住むタイプの建物のことだ。だから、むかしから隣家とは何かと行き来があり、隣家の息子はティーンの頃からしょっちゅう我が家に出入りしていて、半分うちで育ったようなものだ。

その彼も、いまではすっかり成長し、子を持つ父親となって別の街に住んでいる。彼の姉もニューキャッスルで所帯を持っているので、二人の母親のジャッキーは一昨年からひとり暮らしになった。

彼女もハマータウンのおっさんたち世代どんぴしゃの人だ。若い頃からシングルマザーとして工場作業員、清掃員、タクシーの運ちゃんなどの仕事をして（子育てにカネがかかった時期はそれらの仕事を複数かけもちしていたこともあった）生計をたててきた。ＤＩＹが得意な女性でもあり、ブロック塀ぐらいなら自分で築いてしまう「ガテン系」だ。

仕事に育児にＤＩＹに、さらには市内のケア施設に入っていた高齢の母親の世話に、と日々を駆け足で走り抜けてきたジャッキーの人生は、一昨年、大きく変化することになった。

高齢の母親が亡くなり、子どもたちも家から出て行ったのを機に、住宅を売却し、むかしから憧れていたキャラバン生活をしようと決めたのだ。そう決めてから、ジャッキーは以前にも増してＤＩＹに力を入れるようになり、建設業者並みのことを自力でやり始めた。

そもそも、わたしの日本の父親（こちらは本物の建設業者）が英国に来たとき、ジャッキーは彼を自宅に招き入れ、彼女がＤＩＹで改装した家の内部やお手製のモルタル壁、コンクリを流し込んでつくったパティオなどを見せていた。

「隣の奥さん、すごいなー。玄人はだし」

と、うちの親父も彼女の仕事には感心していたが、近年のジャッキーのＤＩＹへの没頭ぶりはちょっと鬼気迫るものがある。

少しでも高く売りたいと言って、家全体をリフォームしているからだ。たったひとりで。

しかも、うちと隣家の庭は急な坂になっていて、それゆえうちの親父が十年前にブライトンくんだりまでやってきてユンボで掘り返して段々畑状の平らな部分のある庭にしてくれたのだが、ユンボに乗れないジャッキーはスコップ片手に手でその作業をやろうとしているのだ。繰り返すが、たったひとりで。

いくら大柄で屈強な女性とはいえ、ジャッキー、それは無理。

と思ったので、ワッツアップで隣家の息子に報告すると、さすがに庭の整地だけはユンボの免許を持っている彼が手伝いに来たが、そんな調子で一年ぐらいかけて全面改装を行った隣家は見違えるような瀟洒(しょうしゃ)な住宅に生まれ変わった。元公営住宅なので外見はいくら頑張ってもそれなりにしかならないが、内部はもう、うちの連合いが「宮殿」と呼ぶような素晴らしさだ(まあ労働者階級が「宮殿」とか言うときは「ミドルクラスっぽい」ぐらいの意味だが)。

ジャッキーは意気揚々として家を売りに出した。

隣家の前庭には大手不動産屋のロゴが入った「For Sale」の看板が立ち、何人かの家族連れが見学に来ているのも見かけた。

だが、一カ月が過ぎ、二カ月になり、三カ月経っても買い手は現れなかった。もしかして、隣家であるわが家のジャングル然とした庭とか、はげ放題になってる壁とか、見るからに荒(すさ)んでいる景観がネックになって売れないのではなかろうかと心配になった。

が、隣家の息子は

「母ちゃんが高値を付けすぎ。希望価格が高すぎるし、そこから値下げをしようとしないので売れない」

と言っていた。

そのあたりからジャッキーの姿をとんと見なくなった。見学者も来なくなったから、庭の手入れも手を抜いているのかな、と思っていたのだが、隣家の息子から「様子が変だ」とメッセージが来て、はじめて異変に気づいた。たくましいガテン系のジャッキーだが、若い頃にはうつ病にかかったこともあると聞いたことがある。

ちょうどイラン人の友達がギャズというお菓子をたくさん持って来てくれたのでお裾分けにかこつけて隣家を訪ねることにした。

「ああ、誰かと思った」

玄関に出て来たジャッキーは、ジャージのボトムにダボダボのTシャツ姿で、シャツには染みがついている。髪もぼさぼさですっぴんの顔も白々としている。しばらく家から出ていない人間の外見だ。

「これ、イラン土産にもらったから。ほら、ピスタチオが入ったお菓子。大好きだって言ってたやつ」

そう言ってギャズを入れたビニール袋を渡すと、

「ああ、ありがとう。中に入って」

とジャッキーがわたしを招き入れた。彼女についてキッチンに入ると、IKEAのコマーシャルに出てくるような対面式カウンターに立って彼女が紅茶を入れ始めた。

キッチンの大きな窓から、庭が一面見渡せるようになっている。料理をしながら庭で遊ぶ子どもを見られるデザインだ。ファミリーのために考え尽くした設計（これもジャッキーが考えた）なのになぜか売れないのは、いまどきの若者たちが安い元公営住宅を買うのは、できるだけ安く家を買って自分たちの好きなようにリフォームしたいからなのかもしれない。

家の内部は極端に物が少なく、ショールームの中に住んでいるような感じだった。ひとりでこういうところに閉じ籠って暮らすのはあまり健康的ではない。

「さいきん、どうしてるの？」

と単刀直入に聞いた。

「見学者も来なくなっちゃったし、毎日、静かだよ」

そう言ってジャッキーが紅茶のマグを渡す。

「『For Sale』の看板、外したんだね」

「いつまでも看板を立てておくと、いかにも売れない家って感じだから、しばらく外しておこうって不動産屋と相談して決めた」

「そうなんだ」

話しながら至近距離でジャッキーの顔を見ると、唇の皮がむけ、目もやけに充血している。

「心配だから見て来てくれって、ワッツアップでメッセージが入ったのよ」

と正直に言うと、ジャッキーは肩をすくめて微笑した。

「子どもには子どもの生活がある。こっちのことまで心配しないでいいのに。余計なお世話」

「あなたはこう、バーッと物事に集中してすごいパワーでやるタイプだから、何もやらなくなって静かだとみんな心配になるんだよ」

激烈なエネルギーで人生を突破してきたジャッキーには、その反面、とことん落ち込む時期がある。「躁うつが激しい」と彼女の子どもたちは評する。彼女がへこんだ時期には、「あの負のエネルギーが嫌」と言って隣家の息子がうちに避難してきたものだった。

わたしの日本の母親が双極性障害（ずいぶん年を取るまで診断はおりなかったが）で、やはり子どものときは彼女のムラ気やプチ蒸発で苦労したので、隣家の子どもたちの気持ちはよくわかった。

「あ、それ。たぶんアタシもそれよ！　双極性障害」と言うジャッキーは、うちの母親が英国に来たときには「ついに会えた。アタシの双極性障害仲間！」と陽気に挨拶していたが、さすがにそれは通訳するわけにはいかないので適当に誤魔化しておいた。

ジャッキーは、無防備にいろんなことを話してくれる。だから、わたしは彼女のライフ・ヒストリーを知っている。ティーンの頃に父親から性的虐待を受けた話や、それが原因で両親が離婚した話や、極貧だったので庭に生える草を食べていた話や、アルコール依存症で十八歳で亡くなった双子の兄の話。それらのすべてがいまも彼女が住んでいる家屋の中で展開されたのだった。ジャッキーは、この公営住宅地で生まれ、ここで育ち、ここで年を取った。「だからここでは死にたくない」と言う彼女にとり、この家が売れるかどうかは、生きざま、ならぬ、死にざまがかかった重要な問題なのだ。

「アタシが引きこもって鬱々としてると思ってるんでしょ」

と単刀直入に聞かれて、わたしも真っすぐに答えた。

「うん。みんなそう思ってる。だから心配してる」

「それ、半分は当たっている。でも、あとの半分は見当ちがい」

そう言うと、彼女はキッチンの脇に自分で増築したダイニングルームに続く扉を開けた。

あっと驚く、という表現があるが、意表を突かれたとき、人間はほんとうにそういう声を発するのだ。思わず「ああっ」と口にしていた。ダイニングの壁一面に絵が描かれていたからだ。フレンチドアが全開になっていて、その向こう側に青い空と紫色のラベンダー畑と森の樹木が広がっている。が、それは実在する景色ではなく巨大なサイズの風景画だった。

「すごい……、これ、どうしたの?」

「描いたのよ」

ドヤ顔でジャッキーが壁画の前に立っている。

絶句した。素人の絵だし、わたしには絵描きの友人も何人かいるので、正直、「素晴らしかった」と言えるような絵ではない。が、アングラ劇団の背景画ぐらいの画力はあるし、第一、こんなサイズの絵を六十代の彼女がひとりで描いたという事実がすさまじい。

「これだけじゃないのよ」

と言って彼女はわたしを居間に連れて行った。部屋の真ん中にイーゼルが立っていて、書きかけの花の絵のキャンバスが載せられていた。さらに壁にも何枚も大小のキャンバスが立て掛けてあり、浜辺や田園地帯などの風景画が描かれている。

「もしかして、絵を習ってんの?」

「いや、自分で描いてるだけ。子どもの頃、絵が得意で先生に褒められてたから、描いてみようかなと思ったら止まらなくなって」

躁全開。

という言葉が浮かんだ。どうやら彼女には、獰猛(どうもう)な躁エネルギーをクリエイティブな方向に放出させる癖があるのだ。人間ユンボになってスコップ一本で庭を整地したり、キッチンが狭いと言っていきなり自力でダイニングルームを増築してしまったり、現代のレオナルド・ダ・ヴィンチかというようなサイズの壁画を描いてしまったりして、モノづくりの猛獣になってしまうのだ。

ふと、息子から母の日にもらったTシャツについていたスローガンを思い出した。

Hear Me Roar

ケイティ・ペリーのヒット曲「Roar」の歌詞の一節である「You're gonna hear me roar」から取った文句だが、いまのジャッキーはまさにそんな感じなのだ。

アタシは虎の瞳、闘士の瞳で、炎の中を舞う
アタシは王者　この雄叫びを聞きなさい
獅子よりもけたたましい　けたたましい声
アタシは王者　この雄叫びを聞きなさい

「あんたの母ちゃん、落ち込んでるどころかケイティ・ペリーになってるよ。You're gonna hear her roar.」

と書いて隣家の息子にワッツアップでメッセージを送ると、

「は？」

と返事が来た。そして数秒たってから
「なんとなくわかるような気がするから、一回そっち行く」
ともう少し長い返事が届いた。
「大丈夫。いまは気分がハイで熱中してることがあるから、帰って来るなら気分が落ちたとき
のほうがいいと思う。仕事、忙しいんでしょ」
と返したら
「OK。そうするよ」
と戻ってきた。
子どもにとっては、これまでも、これからも、この繰り返しなのだ。

18 悲しくてやりきれない

埠頭の倉庫勤務のおっさん、ショーンが失業していた。

久々に海辺のパブに行ったら彼が来ていて、一年以上会ってなかったことに気づいたが、この年になると人生が変わることなんてそうないから同じような生活を続けていると思っていた。が、長いあいだ勤めていた倉庫が潰れたそうだ。いまは非正規で友人の塗装業を手伝っているという。カネがないのでフラット（アパート）の家賃が払えなくなり、ベッドシット（トイレ、シャワーが共同の下宿のようなもの）に引っ越したそうだ。

「この年になってベッドシットかよ、と思うと暗い気分になる」

と言って水を飲んでいるので、いよいよ困っているのかと思い、カウンターに行くついでにさりげなく「ラガーだったよね」と聞いてみたけど、「いや、もう飲まない」と言う。

「『The Virtues』見たら、もう酒はやめようという気分になった」

「おおー、あれな。あのドラマは久しぶりに凄い」

「見た見た、俺も」

と連合いや周囲に座っているおっさんたちが盛り上がる。『The Virtues』というのは、チャンネル4で始まったシェーン・メドウズ監督のドラマだ。メドウズ監督と言えば、『This Is

England』シリーズ（映画がもっとも有名だが、その後、ドラマで続編もあった）や、ザ・ストーン・ローゼズのドキュメンタリー映画を作ったので、日本でも知っている人はいると思う。ドラマは始まったばかりだが、初回からすごい映像だったので、いま巷（ちまた）はその話題でもちきりだ。映画『This Is England』（二〇〇六）で極右のスキンヘッド、コンボを演じたスティーヴン・グレアムが主役を演じている。この俳優がまた、しょぼ悲しい感じのおっさんになっており、地べたのおやじたちのハートを摑（つか）みまくっている。

第一回のエピソードは、主人公が、小学生の息子に別れを告げに行くシーンから始まる。息子とその母親が、彼女の新しいパートナーと三人でオーストラリアに移住することになり、旅立ちの前夜に夕食に招かれたのだ。『This Is England』では黒人の友人に暴行を加えるコンボを演じたスティーヴンが、今回のドラマでは黒人女性との間に生まれた息子を溺愛していて、その仲を引き裂かれる役を演じている。息子の母親と破局した原因は、彼の飲酒問題だったことを匂わせるセリフもある。主人公は息子に別れを告げ、「明日の朝、空港に行く前にスカイプしよう」と約束して帰路に就く。

が、その帰りに彼はパブに入り、また酒を飲んでしまう。飲んで、飲んで、パブからつまみ出されて、次々と店を梯子（はしご）し、街を歩き回って転倒したり、ぶつかって体中傷だらけになり……というシーンがリアルで、この人はこのまま死ぬんじゃないかと思うんだけれども、彼は翌朝、自分の部屋の床に仰向けで倒れている。顔や首や胸元にはゲロが広がっている。もう息子とのスカイプどころではない。

ドラマを視聴しているとき、これを見ながら身につまされて一人の部屋でしーんと沈黙しているかも、と思うおっさんの顔が複数浮かんだ。その中にはショーンの顔はなかったが、こうして久しぶりに会ってみると、ドラマの主人公みたいな男がここにも一人いたことに気づく。しかも、ショーンもいまは主人公と同様に塗装業をしていると言うし、モロ被りではないか。

「なんかもう、あれを見ると飲む気にはなれんよな。リアル過ぎて」

「おめえ、ゲロの中で起きたことある？」

「若い頃にはな。年取ってからはさすがにもうない」

「寝ゲロはやべえんだよ。喉に詰まって死んだりするから。年を取ったら食道も繊細になるから、自重して飲まないと」

「うん。俺らの年になると泥酔するのも命がけ」

おっさんたちは神妙な顔つきで喋（しゃべ）り合っている。ショーンには、二十数年前に出て行った最初のパートナーとの間に息子がいて、その次のパートナーとの間には二人娘がいた。彼の隣に座っている、名前は忘れたけどビール腹の膨らみが著しいおっさんにも、複数のパートナーとの間に何人か子どもがいた。むかし彼を訪ねて来ていた息子とそのガールフレンド（これがまたよく変わった）を連れてパブに来ていたように記憶している。

英国の労働者階級には、歴代のパートナーとの間に複数の子どもがいるが、結局どのパートナーとも別れたので、子どもと一緒に生活していないおっさんたちがけっこういる。日本に比べると、英国は離婚のスティグマが薄い分だけみんな気軽に相手を変えて、子どもをつくる。

そうなると別れるときには母親が子どもの親権を持つことが圧倒的に多い。シングルマザーが多い英国は、子どもと暮らしていない父親がたくさんいる国でもあるのだ。

「あれがまた、主人公が朝起きてからが辛いんだよな」

「そうそう。荷物をまとめて故郷に帰ろうとすんだけど、船に乗れなくて」

「そこで携帯に息子からビデオ電話がかかってきてな……」

確かにあれはせつない場面だった。主人公は、一人で入った小汚いカフェで、前夜に泥酔して傷だらけになった顔で息子とスカイプしながら、「塗装の仕事で梯子から落ちて怪我をして病院に運ばれたけどたいしたことないから心配するな」と陽気に笑って懸命に嘘をつく。店内に響き渡っている彼の声の大きさや嘘の内容にもまったく関心を示さず、どろんと淀んだ目でティーを飲んでいる荒(すさ)んだ感じの貧乏くさい周囲の客たち。「悲しくて、悲しくて、とてもやりきれない」というザ・フォーク・クルセダーズの歌をメドウズ監督が知っていたら、ぜひ使って欲しかったシーンだ。

みんなそのシーンのことを思い出しているのか、おっさんたちはそこはかとなく暗く遠い目になっている。この海辺のパブには、わたしは子どもができるまではよく来ていた。が、赤ん坊が産まれると母乳育児のためにしばらく断酒したので（さすがにアルコールで赤ん坊を育てるのは気が引けた）来なくなり、子どもが成長したらいろいろ地元で忙しくなって、海辺までわざわざ酒を飲みに降りてくることは滅多になくなった。

ここは所謂(いわゆる)、ハードコアな老舗(しにせ)のパブだ。大きな窓とフローリングの床にシャビーシックな家具が置いてある小綺麗なパブじゃない。テーブルの上にパワーブックを広げて白ワインか何か飲んでいる人とか、クラフトビールを片手に談笑している髭(ひげ)にニット帽のヒップスター崩れとかが来るような店じゃないのだ。あくまでも薄暗い照明と不潔そうな柄物のカーペットとレザーの椅子とビリヤード台。古式ゆかしい内装のこの店は、倉庫で働く人々や漁師たちがむかしから利用してきた労働者のパブである。だから客の年齢層も高いし、女性は少ない。「おっさんパブ」と呼ばれる店の典型例である。

こうしたパブはいまどきレアだ。というか、近年、英国ではパブじたいが激減している。若い世代がアルコールを飲まなくなったからだ。だから、多くのパブは店の半分をレストランにしたりして、食事を充実させることで生き残りを図っている。「英国人って、つまみも食べずにビールだけを何時間も飲むよね」と日本人観光客が驚いた時代はもう終わった。

若い世代はそんな旧式の英国人のライフスタイルはとても不健康だと思っている。だから国全体でアルコール消費量が落ち、パブだけでなくライブハウスやクラブの数も減っている。ブライトンでも、ナイトクラブがオーガニック食品のスーパーになったり、パブがスムージー・バーになったりして、「ヘルシーはクールだ」な世相を露骨に反映しやがっている。ショーンが勤めていた倉庫だって潰れてフィットネスクラブになったというのだから、酔って寝ゲロを吐くようなおっさんの時代は終わったのである。

ふと見れば、やはりわたしの周りのおっさんたちも、ガリガリに痩せているか、ビール腹のハンプティ・ダンプティになっているかのどちらかで、いかにも不健康なのだが、カウンターで立ち働いている青年は、日焼けして筋肉質で締まっていて、健康そのものだ。やっぱ若い人は生物として新しいんだなあ、ぴかぴかしてる、としみじみ見ていると、カウンターの奥の扉から、プードルみたいな髪型の女性が出て来た。パブ経営者のリンダだ。

相変わらず、一九六〇年代のゴーゴーダンサーばりの太いアイラインを引いていたが、ひどく疲れた顔をしている。

「今日は、ピートは?」

連合いが聞いた。ピートとは、リンダの弟でパブの共同経営者だ。

「あれ、知らなかったっけ? 大腸癌で手術して、いま療養中」

とリンダが答える。

「え。そうだったんだ」

「それでピートの息子が店を手伝いに来てるんだよ」

ショーンが日焼けしたイケメンの青年のほうを顎で指す。

「えええっ。あんな大きな息子がピートにいたの?」

と驚いたわたしにカウンターから青年が手を振っている。

「あの子は母親と一緒に北部で育ったんだけど、ブライトンに来たいって前から言ってたの。いまケンプタウンで人生をエンジョイしてるわよ」

リンダはそう言って、ビールのしずくが垂れたテーブルを布巾で拭いている。ケンプタウンというのはゲイ街の名前だ。

ショーンにも時々クリスマスカードが送られてくるだけの二十代の息子がいる。二十三年前、わたしが英国に来た頃には、まだ小さい男の子だったが、彼もいま頃は立派な青年になっているはずだ。

「おめえ、引っ越したとき、猫たちはどうしたの」

と連合いがショーンに聞いた。そうだった。彼は一人暮らしではなかった。いつしか彼の家に居つくようになった何匹もの猫たちと同居していたのだ。

「近所の人とか、猫好きの友達とかに引き取ってもらったり、貰い手のない猫はRSPCA（英国動物虐待防止協会）に引き取ってもらったり」

ショーンはちょっとうつむきがちに答えた。ベッドシットではペットは飼えない。ましてやあんなにぞろぞろ何匹も連れて行けるわけがない。

「マイ・チルドレンと別れるのが一番こたえた」

ショーンが言うと、リンダが彼の脇に腰を下ろした。

「あたしとピートもそうだよ。二十数年間、手塩にかけて育てたマイ・チャイルドを手放すんだからね」

どうしたのかと聞いてみると、このパブを手放すという。新築マンションの敷地の一部にかかっているそうだ。リンダももう六十代後半だし、ピートは癌にかかったし、潮時と思ったらしい。夏に閉店パーティーを大々的にやるから来てねと言われた。

また英国のパブがひとつ、なくなるのである。このやるせないモヤモヤをだれかに告げようか。と再びザ・フォーク・クルセダーズを歌いたくなったが、そういえば、パブはパブリック・ハウス（公共の家）の略称であり、「女に出て行かれた」とか「失業した」とかいうやるせないモヤモヤをおっさんたちが語り合う場所だった。この公共の家がなくなったら、おっさんたちはどこで自然発生のグループ・セラピーをすればいいのか。

パブで水ばかり飲んでいるのもきつくなったのか、ショーンはテーブルから立ち上がり、「じゃあ、また」と先に帰って行った。

その後ろ姿を見送ってから、リンダがわたしの耳元で囁（ささや）いた。

「肝臓癌の疑いで検査を受けることになったから水しか飲んでないの。まだほかの連中は知らないけどね。ほら、男たちって口が軽いでしょ」

公共の家ではどんなモヤモヤでも吐き出すわけじゃなかったのか、と思った。

「俺もさいきん、ふつうの姿勢で腰がギクッといく」

「俺は夜中に何回も放尿するようになってきたのが心配」

お達者クラブみたいなおっさんたちの会話を聞きながら、そういえばショーンは、今日は一度もそういう話をしてなかったことに気づいた。そして単なる自虐ジョークと思って聞き流していた言葉を思い出したのである。

「この年になってベッドシットかよ、と思うと暗い気分になる。……あんなところでは死にたくねえよな」

なんだかちょっと、悲しくて、とてもやりきれない。

19 ベイビー・メイビー

いつものようにPCの前に座って新聞のサイトでニュースをチェックしていると、見たような顔が報道写真に写り込んでいるのを発見した。

老若男女が思い思いのプラカードを手にしてロンドンのパーラメント・スクエアに立っている写真の最前列に、見覚えのあるスキンヘッドの眼光鋭いおやじが立っていたのである。

「ねえ、これ、サイモンじゃない？　絶対そうだよ」

急いでラップトップを持って行って連合いに見せると

「おお、ホントだ。すげー、あいつ、マジでアンチ・トランプ・デモに参加したんだな。しかも最前列、ははははは」

と笑いながら身を乗り出して見ている。

「嘘つき」「レイシズム反対」「君は歓迎されてない」「トランプは環境を破壊する」「お前のすべてが嫌い」など、様々な文句のプラカードがひしめく中、サイモンらしき人物は「俺たちのNHS（国民保健サービス）は渡さない」と書いたプラカードを持って立っていた。

「さすがのプラカード」

連合いはそう言ってサイモンのプラカードを指さした。

「うん。デザインがやっぱりひときわプロっぽいね。何のプロかは知らんけど」

わたしが笑うと連合いも頷く。

「そりゃ年季が入ってるから、あいつのプロテスターとしてのキャリアには」

六月のトランプ大統領の訪英では、例によってロンドン市内で大規模な抗議運動が巻き起こり、びっしりと市内の路上を埋め尽くした人々の姿は海外にも報道された。二十五万人が参加と報じられたが、これだけ人数が膨れ上がったのは、今回は怒った中高齢者がこぞってストリートに出たからでもある。

というのも、うちの連合いやその友人たちが「俺たちのＮＨＳ」と呼ぶところの、無料の国家医療制度がついに完全民営化され、米国資本の手に落ちるのではという懸念が広がっているからだ。

トランプ自身が、英国がＥＵ離脱した後の米国との通商交渉ではＮＨＳも議題に上ると発言したため、英国ではそれほど彼に対して強い感情を抱いていなかった人々の間でも大騒ぎになり、急遽トランプ大統領が発言を撤回する状況に追い込まれた。

いまや彼の訪英に対する抗議運動のシンボルともなった「ベイビー・トランプ」（赤ん坊のトランプ大統領の形をした巨大な風船）の管理グループのメンバーも、今年は「ＮＨＳに手を出すな」のバナーを手に記念撮影を行っていた。

これは海外の人々にはわかりにくい点だと思うが、ブレグジットとトランプ現象をまったくイコールで括（くく）ることには無理がある。なぜなら、これまでも述べてきたとおり、英国にはNHSを守りたくて離脱票を投じたおっさんやおばはんがけっこういるからだ。なんとなれば離脱派は、離脱すれば英国がEUに払っている巨額の拠出金をNHSのために使うことができる、などと調子のいいデマを流してNHSのロゴ入りマイクロバスで田舎の町を回って大々的にキャンペーンをしていたのだから。「離脱派があんな姑息（こそく）な真似をしなければ自分は離脱に票を投じていなかった」と言う、別に右翼でもなければ左翼でもない人々はたくさんいる。

だから、離脱派ならみんなトランプのことも歓迎するんだろう、なんて思うのは大間違いだ。いまは離脱派のほうがどちらかと言えば激怒している。とくに中高齢層にとって医療制度は切実な問題だ。無料だった医療が民営化されて有料になるかも、トランプのせいで。と思えば、足腰にガタが来る年齢でもストリートに繰り出して行進の一つもしたくなる。サイモンなんかもきっとそんな考えでデモに馳（は）せ参じたのだろう。

「おい、おめえ、アンチ・トランプ・デモに行っただろ」

その晩、連合いが冷やかし半分でサイモンに電話した。

「ネットに写真が出てたぞ」

「ああ、テレビのニュース番組にも出ていたらしい」

「一躍スターじゃねえか。はははは」

きっといろんな友人たちから電話がかかってきているのだろう。サイモンはそのテの問い合わせに慣れきっている印象だったらしい。

聞けば朝四時起きでパーラメント・スクエアに行き、最前列を確保したという。トランプはいろんな側面から人々に嫌われているので、様々な文句のプラカードが並ぶのはわかりきっている。だから「俺たちのNHSは渡さない」のプラカードを持ってどうしても目立つところに立ちたかったらしい。

無事に最前列をゲットし、ふと後ろを振り向けば、案の定レイシズム反対やミソジニー（女性蔑視）反対や環境問題など様々なプラカードがところ狭しと掲げられていた。が、ひしめき合うプラカードの中に、おお、あそこにもNHS問題のプラカードが、というのを発見し、よく見れば二列後ろの列に白髪の小柄な女性がそれを握って立っていた。

同志よ。と思って笑いかけると、向こうもにっこりと笑い返してきた。そのとき、サイモンのハートがびくりと震えたらしい。

どこか懐かしい、というか、前に見たことのあるような笑顔がそこにあったからだ。

「二十代の頃につき合ってた相手じゃないか、と思ったらしい」

「ええっ。ロマンス映画みたいな展開」

「うん、……ちょっと年は食ってるけどな」

「長くつきあってた人？」

「いや、半年ぐらいじゃなかったかな。サイモンはほら、英国で働いてカネを貯めては海外を放浪してたから。あいつ、あんまり長く英国にいることなかったもん」

「で、どうなったの？」

「どうもなってないんじゃないの。それっきり何も言ってなかったし」

若い頃につき合っていた相手と六十代になって再会するってどんな感じなんだろうと思った。それなりにクールだったり、かわいかったりした若者たちが、頭部が禿げ上がったり、白髪だらけの皺深い顔になって、医療制度を守れというプラカードを掲げた姿で再会する。初夏のみずみずしい芝の緑が燃え上がるような晴れた日に。二人の頭上には、オムツをしたドナルド・トランプの巨大な風船。

「この年になるとよ、昔つき合ってた相手なんか、わからないままにすれ違ってる可能性もけっこうあるから、似た相手を見たって、そんな気がするだけかもしれないしな」

と連合いは言った。確かに、四十年前の恋人の顔をいまさらはっきり識別できるかと言われると、自信を持ってイエスと断言できる人は少ないだろう。

その数日後、サイモンの甥のジョーが勤めているパブにランチを食べに行ったら、彼がシフトに入っていた。

「ハーイ」とジョーがカウンターから出てきたので、連合いがさっそく冗談めかして言う。

「おめえの伯父さん、すっかりスターになっちゃったな」

「うん。新聞、ネット、テレビと三重にカバーされて、ハリウッド俳優並み」

「新聞にも出てたのか」

「しかも高級紙。タブロイドじゃなくて。ははは。そう言えば、天気がよかったら来週ブライトンに遊びに来るって言ってたよ」

またいつものようにふらりと単身で甥のフラットに泊まりに来るんだろうと思ったらどうやら今回は違うらしい。

「日帰りで来るみたい。女の人と一緒に来るんだって」

「女の人?」と反応したのはわたしだった。

「友達を連れてくるっていうから、ソファでよければ僕のフラットに雑魚寝していいよって言ったんだけど、いや、女性だからそういうわけにはいかないって……」

サイモンの甥は同僚に呼ばれてカウンターのほうに戻って行った。

「もしかして、デモで再会した人だったりして……」

と言うと、連合いは答えた。

「それはないだろう」

「サイモン、ここ十年ぐらいそういう浮わついた話なかったのに、ここに来て急に浮わついてきているね」

サイモンが女性を連れてブライトンに遊びに来るなんて初めてだ。何にしろ、ずっとその方面ではツキがなく、「ぼっち慣れ」していたサイモンである。華やいだ話があることはいいことに違いない。命短し恋せよ、おっさん。と勝手に盛り上がっていたのだが、翌週になってもずっとサイモンからの連絡はなく、お忍びデートで来てるのかもな、と思っていると、日曜の午後になって急に電話が入り、海辺のカフェにいるから出てこないかという。人のデートの邪魔をするのもどうかと思ったが、サイモンが息子も連れて来いと強く言うので、家族で彼らに会いに行った。

指定されたカフェに入ると、サイモンと小柄な白髪の女性が座っていた。が、十歳ぐらいの少年、そしてもう少し小さい少女も脇に座っている。聞けば、彼女の孫だという。この子たちが退屈そうにしているので、うちに同年代の子どもがいたことを思い出し、電話をかけてきたらしかった。

子どもたちの母親、つまり白髪の女性の娘はシングルマザーで、日曜日も働いているので、彼女が孫を預かっているらしい。勝手に色っぽいことを想像していた己の汚らしさをわたしは恥じた。

息子が彼女の孫たちを連れてカフェのそばにある公園に行っている間、わたしたちは大人の会話をした。白髪の女性は、むかしはきっとかわいらしいタイプの美人だったんだろうと思う笑顔が印象的な人だった。十数年前に夫を癌で亡くしたが、そのときにＮＨＳの医師や看護師たちにとてもよくしてもらったので、以来、ＮＨＳを守るための運動に参加していると言っていた。

え。ということは彼女はやっぱりデモでサイモンが再会した女性？　と思いながら、わたしは黙って話を聞いていた。

リズ、と呼ばれているその女性は、いわゆるアンチ・エイジングな高齢女性ではなく、化粧っ気もないし、白髪の短いおかっぱ頭に紺色のフリース、バギーなジーンズという地味な服装だったが、繊細でフェミニンな印象を残す人だった。サイモンがジョークを飛ばすたびにおかしそうに笑い、並んで椅子に座っている二人の肩の距離がだんだん近くなっていくような気がしていると、息子たちが公園から戻ってきたのでわたしたちもカフェを出ることにした。

明日は学校なので早めに電車でロンドンに帰るという彼らと、わたしたちは駅の近くで別れた。


「結局、あの女性は彼がデモで会った人なの？」

「いやー、俺もサイモンの昔の恋人の名前とか顔とか覚えてないし、よくわかんね」

「ずばっと聞くのも無粋な気がして、なんか言い出せなくて……」

「うん、俺もこう、なんとなく聞きそびれて」

と二人で言い合っていると、息子が脇から言った。

「サイモンとあのおばあちゃん、ベイビー・トランプのデモで会ったらしいよ」

「え？」

「一緒に遊んだ子たちが言ってた」

わたしと連合いは思わず顔を見合わせていた。

「やっぱそうだったんだ。ひょっとして、つき合ってんのかなあ」

と言うと連合いが答えた。

「メイビー」

ったく、ベイビー・メイビー・メイビー・アイ・ラヴ・ユー（BYシーナ&ロケッツ）かよ、と思いながら、駅に続く坂道を上って行く四人の姿をわたしらは見送っていた。ふつうのおじいちゃんとおばあちゃんと二人の孫、に見えるけど、じつはそうではない。という関係はちょっとセクシーではないか。

ベイビー・トランプがとり持ったメイビーな関係。

そう思うと、オムツをはめたトランプの風船が、キューピッドにさえ見えてきた。あの風船が手に握っているのは、恋の矢じゃなくて、スマホだけど。

……きっとデモ現場で携帯の番号を交換してたんだろうな。

20「グラン・トリノ」を聴きながら

夏はサマーフェスティバルのシーズンである。

とは言っても、グラストンベリーのような高額なフェスはわれら貧民には行けないし、第一、はっきり言ってグラストンベリーで演奏しているような流行り(はやり)の人たちの名前などわからない。あれ誰？　このバンドは？　と十代の息子にいちいち聞いてウザがられるのが関の山である。もはや、我々はロックではないよね。という感じで、ここ数年、夏になると家族で行くのはジャズ・フェスティバルである。「ラヴ・スプリーム」というフェスティバルがブライトンからバスで三十分ぐらいの距離の街で行われているのだ。

テントとか張ってキャンピングもできるようになっているのだが、もう年寄りにはそんなのも面倒くさい。というか、それはもう若い頃にさんざんやって泥だらけになった。だからいまは、ブライトン駅から出ているフェス専用バスに乗って毎日通うという、通勤ならぬ通フェスがわが家の鑑賞スタイルだ。で、今年はその通フェスに一日だけ相乗りした友人カップルがいた。

ロンドンからマイケルとローラが南下してきたのである。六十代のマイケルと五十代のローラは共に早期退職し、それぞれロンドン交通局、ＮＨＳから年金をもらいながら、不動産収入も入ってくるという悠々自適の生活を送っている。子どももいないので、二人で世界中を気ままに旅して、我が世の春みたいな毎日を生きていたが、ここ数カ月、それも難しくなった。というのも、マイケルの膝がいよいよ悪くなり、杖をついても歩くのが困難になったからだ。だから、今回のジャズ・フェスも彼は車椅子での参戦となった。

バスで先に着いたわたしたちがフェス会場に入って、待ち合わせ場所のラフトレード・レーベルのテントの前に立っていると、車椅子に乗ったマイケルとそれを押しているローラがこちらに近づいてくるのが見えた。わたしたちに気づいた二人がにっこり笑って手を振っている。

マイケルの体がひときわ大きくなっているのは明らかだった。

人間、動けなくなるとストレスがたまって食べてしまうものなのか、それとも同じ量を食べても動けないので体に貯蓄してしまう一方なのか、もともとふくよかなほうだったとは言え、マイケルの増量ぶりは衝撃的だった。

「またNHSの病院に戻ったような気がするだろ」

連合いがローラのほうを見てブラックジョークを飛ばす。

「ほんとそう。無給で専属看護師をやってるようなもんよ」

ローラが笑いながら答えるとマイケルが言い返す。

「この看護師は、患者に虐待を与えたりするから困る。人が動けないと思って自分だけ俺の目の前でうまそうな物を食べたりして」

「だっておめえは体重を落とせって医者に言われてるんだろ？　だったらしょうがないじゃね

えか。ローラはこんなに痩せてるんだから何を食べたって問題ねえんだよ」

と連合いが言った。

マイケルはもともと豪快な食べっぷりと飲みっぷりの人だったが、二十年ぐらい前まで週末は地元のラグビークラブでプレーしていたので運動量も半端なかった。それが膝を悪くしてからはラグビーができなくなり、それでも大量に食べてビールを飲む癖はそのままだったので、ふくよか化だけが止まらなくなった。いまでは、華奢で小柄なローラとふたりでいると、ちょっと祖国のスモウレスラーとそのワイフみたいな絵ヅラになっている。

夏フェスには様々な出店が出るものであり、近年はスペイン料理やギリシャ料理、タイ料理などわりと本格的な屋台もあり、マイケルはいちいち物欲しげな顔をしてローラのほうを振り向いていたが、彼女は優しい笑顔でそれを制していた。うちの息子もソフトクリームの屋台のほうをじっとり見つめていたりするのだが、マイケルが食べられないことを考えると申し訳ないのでそれとなくわたしが視線でダメだしをした。

それにしても、面食らったのはフェスに集まった人々のマイケルを見る目だった。

英国の人々は車椅子の人々には滅法やさしい。バスの乗り降りでも、段差のある店の入り口でも、車椅子に乗った人がいるとどこからか人が集まってきて車椅子を持ち上げ、助ける。が、なぜかマイケルに対しては、妙に人々の視線が冷たいのだった。

これは、あれなのだ、たぶん。マイケルは膝が悪くて車椅子に乗っているのだが、あまりにふくよかになり過ぎているため、肥満で歩行困難になった人と思われているのだ。

近年、世間にはびこっている悪習に「Fatism」というのがある。ファシズムではない。ファティズムだ。レイシズムの体型ヴァージョンである。たとえば、「Fat Tax（肥満税）」なんて言葉も近年ではさかんに使われていて、これ何のことかと言えば、人間を肥満させて不健康にする飲食品、特に砂糖を加えられた炭酸飲料とか、飽和脂肪酸を一定基準以上含む食品などに課税することである。

さらに、飛行機に乗るときに座席からはみ出てしまうような体型の人は、そうでない人よりも高い料金を払うべきだという議論でも「Airline Fat Tax」という言葉が使われている。実際、サモア航空などは乗客の体重に基づく運賃制度を導入していて、体重一キロあたりいくらで運賃が決まる。これだと体重が軽い人や子どもなどは運賃が安くなり、太っている人は高くなる。これを「未来の航空運賃の在り方」などと評価する人たちもあって、九一％の英国の人々が、肥満している人々は通常よりも高い料金を払って特別の大きい座席に座るべきだと考えているという世論調査結果も二〇一七年には出ていた。「太っている」のは「不健康なライフスタイルを送っている自らの責任」という考え方が幅を利かせている現代、ファティズムは正義とすら思われている節がある。

とくにジャズ・フェスのような、ヴィーガン屋台がやけに多く出る、ヘルシー志向の意識高い系の人々が集まる場では、「あなたみたいな人がなぜここに」みたいな目でマイケルを見ている人たちがやたら多い気がするのは、けっして考えすぎではないだろう。

また、マイケルも、単なる大柄なスポーツ野郎だった頃には許されたバンカラで身なりを構わない感じ（髭剃り中に切った顔の傷口にティッシュを小さく切ったものを貼って血をおさえている、ソックスにサンダル履きで、しかもよく見ればソックスの柄が左右で違う、など）をいまでも維持しているため、なんか本当にだらしなく生きてだらしなく太っただけの人に見えてしまうのだ。

そんな汚物を見るようなまなざしで見なくとも。と言いたくなるような目つきで、いかにも夏フェス用の短いショートパンツと腹が丸見えのセクシーなTシャツを着たモデルみたいな若い女性が二人、マイケルのほうを凝視していた。

そんな人々の視線の中を、ローラは穏やかに微笑しながら車椅子を押していた。増量し、老けていくマイケルと反比例する如く、ローラは若々しくなっていく。車椅子を押すのがエクササイズになっているのか以前よりほっそりしている。むかしから「美女と野獣」と呼ばれた二人だが、いまは「娘と要介護の父親」みたいに見える。

実際、ローラに思わせぶりな視線を送ってくる男性も一人や二人ではなかった。むかしから、どうしてかわいくてスタイリッシュなローラがマイケルみたいにむさ苦しい相手と一緒にいるのかはわたしにも解せなかったが、ローラは彼に忠実で一途で、それは揺らぐことがない。

いっぺんだけ、そのことをローラに聞いてみたことがある。あれは彼女と二人でカヌーを漕いでテムズ川を下り、ヨールディングというカヌー愛好家の聖地にあるカフェでアフタヌーン・ティーをしたときだ。

「どうしてそんなにいつもマイケルに優しくなれるの？　ムカつくことだってあるでしょ。彼、なんかマッチョだし」

「ははは。まあそうね」

「三十年も一緒にいるんでしょ。まさか、……まだ好きなの？」

「ははは。そういう言い方はないでしょ」

柔和に目を細めて笑うローラは、テムズ川の岸辺のカフェに舞い降りた妖精みたいだった。なんであんな足が信じられないほど臭くて、ティッシュの欠片（かけら）を顔に貼って平気で往来を歩くようなおやじとこんな妖精がいつまでも一緒にいるんだろう。

「私が彼を好きなのは、彼ほど私のことを好きな人はいないからよ」

とローラは言った。

「彼と出会うまで、いろんな人と付き合った。でも、彼みたいに無条件に、何があっても、私がどんな顔をして何を着ていても、どんなバカなことをしても私を好きでいてくれる人はいなかった。そこまで好かれたら、好きになり返すしかないもの」

「うーん、ローラ、でもそれって……、自分をすごく好きになってくれる人だからすごく好きっていうのは、要するに自分のことをものすごく好きってことじゃないの？」

「ははははは。そうなのかもしれない」

と笑っているローラを見ていると、この人はきっとマイケルと出会う前に修羅場をくぐった人なんだろうと思った。

だから不器用でマッチョで足も臭くて髭剃りひとつ満足にできないマイケルでも、安心して愛されることができるから幸福なのだ。

そう思えば、不釣り合いとか、似合わないとか言うのはまったく的外れな観察なのだろう。誰かの幸福の前には、すべての既成概念は瓦解する。

わたしたちはメインステージをステージ前の群衆の中に立って観ることにしたのだが、マイケルとローラは右端にロープを張って設置された障碍(しょうがい)者用の小高い特別席から観ていた。そこはほとんど貸し切り状態だ。「高みの見物」という日本語を思い出した。

パフォーマンスが終わるたびに飲み物や食べ物を買いに行き、「高みの見物」席にも差し入れしたが、マイケルは二つ目のステージですでにうたた寝し、車椅子の上でいびきをかいていた。

午後六時を過ぎた頃、ジェイミー・カラムが出て来た。メインステージの左側から大勢の人が流れ込んできて、真ん中あたりのわたしたちも「高みの見物」席に近い右側まで押し流された。ダンサブルなナンバーを数曲やった後で、ジェイミーがピアノの前に座り、静かなイントロを弾き始めた。「グラン・トリノ」だ。

とてもやさしく……
あなたの物語は
あなたが見ているものや
あなたがしてきたことや
あなたがなるだろうものに過ぎない

ジェイミーがそう歌い始めると、曇り空に陽が射してきた。ちょうどピアノの後ろ側から明るい光が射し込み、なんかちょっと劇的だったので「わあぁ」と観衆から声が上がる。

ふと、「高みの見物」席のほうを見てみた。マイケルの車椅子の脚の部分の金属に陽が当たってきらきらと光っている。

両手をだらんとさげて思いきり顎をあげ、いまやマイケルは本気で熟睡しているらしい。

ローラは彼の車椅子の脇に立ってステージを見ていたが、ふわりと中腰になって彼の髪をなで始めた。そして、自分の顔をゆっくりとマイケルに近づけ、やさしくキスをしたのである。

なぜか妙に胸苦しい気分になった。

見ちゃいけないものを見たような気がしたからである。

娘が肥満した父親にキスしているように見えたからではない。ちゃんと三十数年間いっしょに暮らしてきた男女がキスしているように見えたからだ。

あなたの世界は
あなたが残してきた
すべての小さなものたちに過ぎない

夏の日はなかなか沈まない。もうそんなに長い時間は残されていないのかもしれないが、まだまだどうして眩しい光がわたしたちの世界を照らしている。すべての小さなものたちを。

21 PRAISE YOU――長い、長い道をともに

ダニーの二周忌がやってきた。

まあ英語では二周「忌」なんていまわしい言葉で誰かが死んだ日を記念したりしないので、「アニヴァーサリー」というライトな響きの言葉でその日を表現するのだが、そのためか、日本のようなしめやかな行事にはならないことが多い。

去年のダニーの「アニヴァーサリー」はパブでW杯のイングランド戦を見ながらだったが、今年はダニーの妹のジェマの自宅の庭でガーデンパーティー形式で行われた。バーベキューにするとついビールをがぶ飲み、みたいなワイルドな催しになってしまうので、ケータリングの店から各種サラダだのキッシュだの、モロッカン・タジンだの、ヘルシーだったり、エキゾチック&お洒落だったりする料理を取って庭で行儀よく座って食べることにすれば、そんなにアルコールを消費しないのではないか、という配慮だったそうだ。

何も酒代をケチっているわけではない。アルコール依存から回復中だったり、医師に酒量を減らすようにアドバイスされていたりして、飲めないおっさんがめっぽう増えているからだ。

それならまあ、年寄りがおとなしくテーブルについてランチを食べるという、けっこうしめ

やかな集いになりそうだが、なんか今年はこれまでとは異なる突飛な趣向が盛り込まれていた。ジェマの親友が経営しているフィットネスジムからズンバのインストラクターが来て、庭の一部でズンバ教室が行われていたのである。しかも、その脇には出張スムージー・バーというか、スムージーのスタンドまであり、ちょっと待てよ、こんなアメリカ西海岸の風が吹いているような健康的な催しがダニーの二周忌であっていいわけがない。と思ったが、意外にもこのガーデンパーティーのアイディアは、テリーやレイなどの故人ともっとも仲が良かったおっさんたちから出たものだという。

確かにレイはアルコール依存症で家庭を一つ崩壊させたこともあるし、ひたすら断酒の道を突き進んでいるので、ここのところヘルシー・ライフスタイルの権化になっている。さらに、彼といつも一緒につるんでいるテリーも、むかしは引き締まったシックスパックの体が自慢だったにもかかわらず、さすがに近年は腹部がたぷついてきたので、酒量を大幅に減らし、ジム通いに精を出していた。いかついおっさん二人できゃらきゃら言いながらいろんなスムージーを作って遊んでいるという話も聞いていたので、この二人がこういうパーティーを思いついたのはまあ納得できる。

しかし、問題はほかのおっさんたちだ。つまり、以前ならビール腹を突き出して空のパイントグラスをテーブルに並べていたおっさんたち。単なる水にカネを払うのはおかしいとミネラルウォーターを敵視し、マラソンさえビールを飲みながら走ったことのある猛者(もさ)も混ざっているメンツである。それが、いきなりどうなっているのか、みんなヘルシー・ガーデンパーティーをエンジョイしてしまっているのである。

だいたいズンバってのは、ふつう女性がやるものっていうか、女性がやることが多いっていうか、ジェマだって女性や子どもの出席者が楽しめるようにインストラクターに来てもらったらしいが、なぜかそこに六十代のおっさんたちが混ざっており、ゲラゲラ笑いながら嬉しそうに腰を振って踊っている。これはインストラクターがブラジル出身のセクシーでかわいいお姉ちゃんだということも大きいだろう。

「やっぱー。あれ、マジやばくない?」

とわたしが言うと、すっかり少数派になってしまった「いぜんとして酒を飲む派」の連合いも首をひねる。

「ああいうの、ナチュラル・ハイっていうのかな。あいつら全然酒飲んでないのに踊ってるんだもん。踊ってないのは、俺とかおまえとか、酒を飲んでる人間じゃん。ふつう逆じゃねえの?」

確かにそうである。ブラジル人のインストラクターと軽やかにステップを踏んでいる人々も、爽やかにスムージーを飲んでいる人々も、庭の後方にあるジェマの子どもたち用のバスケットのゴールを使ってミニバスケに興じている人々も、みんなほぼ素面(しらふ)なのだ。

加えて、屋内の二階と吹き抜けになった広い居間では、ジェマを中心にヨガのセッションまで始まっていて、このヘルシーな雰囲気の中では、わたしや連合いは現代の異物というか、過去の遺物というか、なんかもう人間は酒なんか飲んでいてはダメなのかなという気になってくる。

すっかり世の中の流れに取り残された気分でちびちびビールを飲んでいると、レイがわたしたちのテーブルにやってきて座った。

「何、それ」

彼が手に握りしめている青汁みたいな色の液体を指さしてわたしは聞いた。

「きゅうりとほうれん草とアボカドのスムージー」

やっぱり青汁みたいなもんじゃねえかよと思っているいると、レイの腕に異変を発見した。

「あれ、なんかタトゥーが薄くなってない？　もしかして……？」

とわたしが言うと、レイは悪びれずにニコニコして
「おお。除去作業中」

などと言う。

彼の腕には、前のパートナーのレイチェルとEU離脱について揉めたときに和解の印として入れたタトゥーがある。「平和」と漢字で入れたつもりが「中和」になっていたことを、レイがレイチェルと別れてからわたしはこっそり彼に告げたのだったが、「俺のタトゥーは俺の歴史を刻むもの」とか「ワーキング・クラスは簡単にいろんなものを消してなかったことにしない」とか格好いいことを言ってレーザー除去なんか絶対にしないとうそぶいていた。だが、どうやらこっそり「中和」を消そうとしていたらしい。

「何回もレーザーをあてなきゃいけないみたいで、時間かかるんだけどな」

と言うので、

「絶対に消さないって言ってたのに、気が変わったの」

と突っ込むと、

「まあな」

と意味ありげにデレデレ笑っている。どうもその笑い方が気になるなと思っていたら、レイがミニバスケをしに立って行った後、我々のテーブルにやってきたテリーが事の経緯を暴露した。

話を要約するとこういうことである。レイのところには以前から、二年前に亡くなったダニーの最後の恋人だったベトナム人の若い女の子からワッツアップでメッセージがよく来ていた。彼女はうちの連合いやその他のダニーの友人たちとも「ワッツアップづきあい」を続けていたので、それ自体はそんなに不思議ではない。

ダニーが亡くなった直後や、少なくとも一年後ぐらいまではみんな彼女からのメッセージに応え、励ましの言葉などを寄せていたが、故人の死後から日が経つにつれて当然のようにみんな疎遠になり、もうほとんどメッセージも入らない。

うちの連合いの携帯にも、一周忌のパブでのW杯観戦のときには何度か彼女からメッセージが入っていたが、今年はそういえばまだ何も来ていない。そりゃそうだろう。もう二年になるんだし、彼女はベトナムで新たな人生を歩んでいるのだ。時間が進めば、人も進む。それがライフの法則である。

と思っていたのだが、テリーの話によれば、レイとベトナムの女の子がワッツアップで急接近しているらしく、頻繁にビデオ電話する仲になって、ついに夏の終わりにはレイがベトナムに遊びに行くことになったらしい。

「それ、単なるフレンドシップなの？」

連合いがそう聞くと、テリーはにやにやして言った。

「知らん。なんかレイ、いきなりタトゥーまで消し始めてさ。ベトナムではみんな漢字が読めるから、笑われるとか言って」

「いや、ベトナムはもう漢字圏じゃないでしょ。中国語とか日本語とか習ってる人でなければ漢字は読めないはず」

とわたしが言うと、連合いが神妙な顔をして言った。

「レイ、またダニーになろうとしているのかな」

亡くなったダニーは、若い頃、地域でも評判になるぐらいの激烈な美男だった。パブの隅で一人で立ってビールを飲んでいてもパンツを投げつけてくる女がいた、とみんながジョークを飛ばすぐらいモテまくりのカサノバだったダニーは、男性から見ても惚れ惚れするぐらいのいい男だった。それで、青春時代にレイはダニーにいたく憧れ、何かと真似していたらしい。

ダニーが髪を伸ばせばレイも伸ばすし、ダニーがリーバイスの５０１しかはかなければレイもそうする。そんな若き日のレイのダニーへの入れ込みっぷりは、中高年になってからも、時おり、おっさんたちの間でジョークとして語られていた。

年を取ってからは、スリムで見た目が若かったダニーとふつうに年を取ったレイとでは、一緒にいてもとても同年代に見えないぐらいルックス格差が広がっていたので、もうレイがダニーを真似ることはなかった。が、ダニーが亡くなってから、またもや若き日のコピー熱が復活したというのだろうか。

そういえば、完全に酒を断ち、食生活に気を配り、ジムに行ったり、水泳したり、朝な夕なに走ったりしているというレイの体は、以前よりずっとスリムでちょっと若返ったと言えないこともない。若くて美しいダニーの未亡人、ならぬ、最後のラヴァーと色っぽいことになるつもりで体を絞っているんだろうか。

「あの子は、きっとまた英国に来るつもりなんだよ。ベトナムは嫌だ、また英国に戻りたいって、みんなにワッツアップでメッセージ送ってたもんな」

ダニーの最後の恋人には懐疑的だったテリーが乾いた口調で言った。

確かに、わたしにも彼女はそんなことを言っていた。英国は自由で、何をしても、どんな格好をしても何も言われないから好きに生きられるけど、ベトナムはそうじゃないから、もうあの国には住めないだろう。と、ダニーが生きていた頃にわたしにも言ったことがあったのだ。

「どうしてそんなに来たいんだろうな。こんなブレグジットやら何やらでクソみたいな国に」

とテリーが言ったのでわたしは答えた。

「でもそれ以上に自分の国のほうがクソだと思っている人たちが世界にはたくさんいるのよ」

テリーはやっぱり青汁系の色をしたスムージーのグラスをテーブルに置き、家屋の方を顎(あご)でさしながら言った。

「この件については、ジェマがめっちゃアンハッピーなので、彼女の前では言わないように」

ダニーの妹のジェマは、兄の最後の恋人を毛嫌いしていた。というのも、ダニーが亡くなったときにその遺産をめぐり、ベトナム人の女の子とちょっとした諍いがあったからだ。

自分に残された遺産の額が少なすぎるとベトナム人の女の子が騒ぎだしたとき、ジェマは、あの子はダニーが癌で余命わずかだったから彼の恋人になり、最初から遺産目当てで英国に来たのだと烈火のごとく怒り狂った。

その彼女が今度はレイと急接近しているなどと聞いたら、ジェマがどんな反応を示すかは容易に想像できる。彼女にとってレイやテリーやうちの連合いは、ほとんど一緒に育った家族も同然の仲である。あのアジア人の若い美女の毒牙に今度はレイが……、みたいな見方をジェマはしてしまうだろう。

「でも、レイはアルコール依存症の過去はあっても体だけはやけに健康だし、ダニーみたいに不動産とか資産を持ってるわけでもないからな」

と連合いが言うのでわたしも頷いた。

「うん、そうだよね。前のパートナーのレイチェルと暮らしていたときは主夫やってたぐらいだし、全然お金ないもんね。癌にもかかってないし」

しかし、そう言って笑っているわたしたちの顔を交互に見つめ、テリーが黒いサングラスを外し、真剣な面持ちで口を開いた。

「いやそれが、そうとも言い切れなくなってきたんだよ」

「どういうこと？」

　わたしが聞くとテリーは言った。

「レイの姉が末期癌にかかって、半年ぐらい前からレイが週に何度か面倒を見に行ってるんだけど……、この姉さんがほら、資産家じゃん」

「ああ、ケータリング業で大当たりして、でっかい家に住んでたもんな」

　連合いがそう言ったので、わたしもその姉のことを思い出した。小さなイーストエンドのサンドウィッチのテイクアウェイの店をやっていたのが、俳優か歌手かなんかがおいしい店とテレビで紹介したのがきっかけで大人気になり（いや実際、おいしかった）、ロンドン近郊でチェーン展開を始めて、レストラン業にも進出したビジネスウーマンだった。

「彼女、数年前に夫を亡くしているし、子どももいないだろ。だから……」

「遺産を兄弟姉妹に残すかもってことか？」

「そういうふうに、考えるやつもいるだろうな」

　テリーは意味ありげにそう言った。

　でも、ベトナムの女の子はレイの姉のことなんか知らないだろうし、もし知っていたとして、そんなことまで考えるだろうかと思った。これってわたしが甘いのだろうか。

「あんまりそういう見方しないほうが良くない？　別にいいじゃん。みんなもう大人なんだし。っていうか、もう六十代なんだし」

　と言いながら、わたしは自分がちょっと不愉快な気分になっているのに気づいた。

彼らは、わたしと連合いが一緒になったときも、永住権を取得するために利用されてるとか、就労ビザ欲しさの結婚だからすぐ別れるとか、連合いに裏で言ってたことをわたしは知っている。でも連合いが、

「それでいいんじゃね。だって、相手にビザの問題とかなかったら、俺、一生結婚とかしてないと思うし。長い人生、いっぺん結婚してみるのもいいんじゃね」

というような気の抜けた人間だったから適当に聞き流しもしたが、さすがに二十年以上も婚姻関係が持続している現在では誰もそんなことは言わない。

が、わたしはしっかりと覚えている。だからベトナムの女の子のことが他人事(ひとごと)とは思えないというか、彼女があることないこと詮索されていると、わたしの古傷も痛む。

テリーは何も言わずにバスケットに興じているレイのほうを見ている。

それにしても、レイはなんやかんや言って恋多きおっさんだ。というか、アルコール依存症で家庭を失っても、若い別嬪(べっぴん)と家庭を築いてまた捨てられても、それでも果敢に新たなハピネスを求めてベトナムまで行こうっていうのだから、そりゃもう遺産がどうとか、不当に利用されるとか、そんなことをネチネチ心配するより、シンプルにその復活力を喜ぶべきなのではないか。

だいたい、こんなに力強くバスケットコートを走り回っている筋肉隆々の六十代が、そう簡単にくたばるとも思えないし、レイがもし何らかの幸運にめぐまれて金持ちになったとして、それをベトナム人の女の子と一緒に使うことになったとしても、外野がどうこう言うことではないではないか。

それともあれか。英国人が稼いで遺したカネを外国人が使うのはけしからんという、遺産排外主義が高齢化UKに蔓延(はびこ)っているのだろうか。しかし、そんな主義は時間の無駄である。資本や労働力の移動よりも早く、人は恋に落ちる。よしんば国境を閉ざしたとしてもだ。フェイスタイムだのスカイプだので人は語り合い、恋に落ち、そうなったらもうベトナムだろうがトンブクトゥだろうが飛んでいくのだ。恋は狂気だ。それは排外主義を撃ち抜く最終兵器である。

などと思っていると、ジェマがヨガのセッションを休憩して、家屋の中から出て来て、わたしたちのほうに叫んだ。

「そっち、ビールは足りてる?」

「大丈夫、ちゃんと足りてます」

わたしはそう言って、まだ半分ぐらいビールが入っているパイントグラスを掲げた。

「なんか嫌味だな。『あんたらまだ不健康に酒なんか飲んでるの』みたいな響き」

連合いが皮肉っぽく言うと、ジェマが笑った。

「何言ってんの、これはダニーのセカンド・アニヴァーサリーなのよ。たくさん飲んで。ダニーだってじゃんじゃんビールを飲んでたんだから。それで癌になって死んじゃったけど」

ジェマはそう言って、豪快に笑った。もう二年が過ぎたのだ。

こんなブラック・ジョークも飛ばして笑えるようになった。

「こんなヘルシー志向のパーティー、ダニーはあの世でびっくりしてると思うよ」

という連合いの言葉に、ジェマがわたしのほうを見ながら言った。

「でもダニーだって晩年はけっこうヘルシー志向だった。ほら、漢方のお茶とか、中国のキノコがどうのとか、あなたによく聞いてたじゃない」

正確には、わたしに漢方茶やキノコについて聞いていたのは、ダニーではなく、恋人だったベトナム人の女の子だった。ロンドンの中華街に行ったり、ネットで調べて取り寄せたり、取りつかれたように必死で癌に効く物を手に入れようとしていた。

「自分が体に気を付けるようになったのが遅すぎたから、あなたたちには健康でいてほしいとダニーはきっと思ってるわよ」

ジェマはそう言って、再び家屋の中に消えて行った。わたしも彼女の後を追うように家屋の中に入り、トイレを使ってから、ガラス張りのサンルームを通り抜けようとすると、大きなガラスのフレームが窓の桟に置かれているのが目についた。

フレームの中には、十代の頃からのダニーの写真がびっしり並んでいる。レイも、テリーも、うちの連合いも一緒に写っているのが何枚もあった。ダニーだけの写真を探すほうが難しいぐらいだ。

ベルボトムのジーンズをはいて、異様に襟の大きな細身のシャツを着た長髪の少年たちの写真。みんなつぶらな瞳で初々しい。ダニーだけはこの頃から妖艶な色気を放っていた。モッズとスキンズの中間みたいな、ポークパイ・ハットを被ってリーバイスのジーンズの裾を折り上げ、ドクターマーチンのブーツを履いている野郎どもの写真。ビーチに上半身裸で座っている海パン姿の逞しい青年たちの写真もあった。胸が詰まるほど若かった。そこに写っている若者たちは、生き物としての美しさの絶頂にある。

ああ、ときの流れは無情だ。なんて人のことは言えたものじゃないが、みんなかわいいときがあったんだよねとしみじみ思う。

テリーの結婚式の写真もあった。連合いとダニーがウェディングケーキを手づかみで互いの口に押し込んでいる写真がある。みんな、スパンダー・バレエみたいなスーツと髪型でバッチリ決めている。

ダニーが赤ん坊を抱いている写真もあった。脇に哺乳瓶を持ったレイが座っているので、赤ん坊はドイツの銀行に勤めているレイの長男かもしれない。奥に写っているのはレイの最初の妻だ。キム・ワイルドみたいな髪型がいま見ると異様なほど大きい。

野郎ばかり並んでパリのエッフェル塔の下で半ケツ出して振り向いて笑っている写真もある。どっかのパブでウエストハムのシャツを着てパイント片手にみんなで何か歌ってる写真や、上半身裸でバーベキュー・パーティーをしている写真もあるが、この辺までくるとけっこうみんなもう腹のあたりがたぷついている。

ほんとに長いつきあいなんだなあと思った。不覚にも目頭が熱くなるぐらい、その長さが目に沁みた。そしてフレームの下のほうにはベトナムの屋台みたいなところで笑っているダニーとベトナムの女の子の写真があった。なんだかんだ言っても、それを兄の人生の一ページとしてちゃんと排除しないでおさめたジェマの気風も胸に沁みた。

突っ立ったまま写真を見ていると、テリーの息子が入ってきて、「庭のほう、めっちゃ面白いことになってるよ」と言ってトイレのほうに消えて行ったので、外に出た。なつかしい曲が耳に飛び込んできた。なつかしいと言っても、九〇年代の曲なので、この歳になったら去年流行った曲ぐらいにしか聞こえないけど。

長い、長い道をともに歩んできた
苦しいときも、いいときも、
あなたを祝福しなくちゃ　ベイビー
あなたを褒め称えなくちゃ　私はそうすべきだから

ファットボーイ・スリムの「Praise You」の歌詞が、いやにタイムリーだった。だからちょっとじーんと来ているというのに、人だかりのできたズンバのコーナーでは、おっさんたちがたいへんなことになっていた。

両肩と両膝をガクガクさせてゾンビみたいな踊りを披露したり、小さく体を縮めてから両手両足をパッと広げてジャンプしたり、体の前後で掌をひらひらさせながら腰をくねらせて前後左右にステップを踏んだりして、「Praise You」のミュージックビデオのダサいダンスを真似している。

ズンバのインストラクターも踊るのをやめて、両手で目元の化粧がはげてくるのを拭いながら爆笑していた。

テリーもレイも肩を組んで変なラインダンスみたいな踊りを披露していた。かと思うと、バレエのピルエットみたいにくりくり回って白鳥のようにジャンプしたりしている。

酒を飲んでいるのでナチュラル・ハイになれない連合いは、

「いい年して、みんなけっこう体やわらかいんだね」

と妙なことに感心していた。

サンルームの中で見た、スパンダー・バレエみたいなスーツで決めた若き日の彼らのダンディな写真を思い出すと、よれたTシャツに短パンでだらしなく半ケツ出して踊っているおっさんたちの姿とのギャップがあまりに大き過ぎ、世の無常を感じる以前に、人間ってすごいなーと思った。人間って、こんなに変わるんだ。というか、こんなに変わりながら何十年も、ことによったら百年ぐらいとか生き続ける生物なのだ。

「レイ、ベトナム行き、すごい楽しみにしてる感じだった」

と連合いが言った。

「話したの?」

「うん、少し。このバカ騒ぎが始まる前に」

「そう」

「久しぶりに服を買ったとか言ってた。旅行で着るのに」

「へえ、いい話じゃん」

ズンバ・コーナーのおっさんたちは、「あなたを褒めたたえなくちゃ」をリピートするところを大げさな身振り手振りつきで歌っている。と思ったら、ぞろぞろ一列に並んで大小さまざまの半ケツをふるふる振り始めた。なんでこの世代の労働者階級出身の男たちはこんなに尻を出すのが好きなのか。

むかし、セックス・ピストルズのジョン・ライドンが四十代になってからB級セレブをジャングルに閉じ込めるテレビ番組で復活したとき、カメラの前で生尻を出して話題になったが、彼も連合いと同い年で、まさに「ハマータウンのおっさん」世代だ。なんかあるんだろうな、この年代の男たちと尻露出行為には然るべき関連性が。日本語では「ケツをまくる」という言葉もあるけれども。

おっさんの臀部(でんぶ)のことばかり考えていてもしょうがないので、ズンバ・コーナーから目をそらすとジェマがにこにこ笑いながら踊るおっさんたちを眺めていた。

爽やかに微笑(ほほえ)んでいるけれども、レイが新しい服なんか買っていそいそとベトナムの女の子に会いに行く支度なんてしているのを知ったら、きっと怒るんだろうなと思った。

怒られたり、バカなことをやったり、痛い目にあったり、尻を出したり、おっさんたちの人生はこれからも続く。

あなたたちを祝福しなくちゃ、ベイビー。

まだまだ褒めたたえられる生き方なんてしなさそうな彼らだが。

第2章 解説編

現代英国の世代、階級、そしてやっぱり酒事情

I――英国の世代にはどんなものがあるのか

①大雑把な括り――五つの世代に分ける方法

日本にもバブル世代とか団塊世代とかいう世代のラベリングがあるように、英国にも世代の括り(くく)は存在し、その括り方は時代によって変わってきたようではあるが、いま最も一般的になっているのは、ざっくり五つの世代に分けるやり方だろう(英国だけでなく、米国でも同じ括りが使われている)。その五つとは次のとおりだ。

●トラディショナリスト世代

一九〇〇年から一九四五年のあいだに生まれた人々。第一次世界大戦と第二次世界大戦を経験した世代である。トラディショナリストたちは権威や権力者に対するリスペクトを持ち、貯蓄に励み、勤勉に働くと言われている。彼らはまた、家族に対する伝統的な価値観を持っている。

トラディショナリストの世代を代表するセレブリティーは、エリザベス・テイラーやマーガレット・サッチャー英国元首相、スティーヴン・ホーキング博士など。もちろんエリザベス女王もここに入る。

●ベビー・ブーマー世代

一九四六年から一九六四年までに生まれた人々。第二次世界大戦後に出生率がものすごく上がったので、これを「ベビー・ブーム」と呼び、その時代に生まれた人々を「ベビー・ブーマーズ」と総称することになった。厳しい規則を守った親の世代と違い、ベビー・ブーマーの多くは七〇年代に体制に反逆しロックやヒッピー文化、政治運動などのレベル・カルチャー（反抗の文化）に身を投じたが（そういうのがクールな時代だった）、八〇年代には一転してヤッピーになってお金を稼いだ。

経済的な繁栄の時代に育ったので、ベビー・ブーマー世代の悪い点は強欲で物質至上主義的なところと言われることがある。しかし、その反面、彼らは親の世代に比べると野心的で、革新的だとも言われる。

ベビー・ブーマー世代を代表するセレブリティーは、ビル・クリントン元米国大統領やトニー・ブレア元英国首相、マドンナ、デヴィッド・ボウイなど（本書に登場する「ハマータウンのおっさんたち」も、実はこの世代のど真ん中にあたる）。

●ジェネレーションX（MTV世代）

一九六〇年代初頭、または半ば（両説あり）から一九八〇年までに生まれた人々。大きな変化の波の中で成長した世代と言われる。両親が共働きの家庭が増え、どちらかの親がいつも家にいるという家庭環境が一般的ではなくなった時代。離婚率が上昇した時代に育った世代でもある。高学歴の人々が増えた世代で、前の世代に比べると大卒者の割合がぐんと高い。が、冷戦やエイズ危機の時代に育ったせいか、ニヒリスティックで物事に対して懐疑的な人々が多く、熱いベビー・ブーマー世代とは対照的に、醒（さ）めた物の見方をする人が多いと言われる。

ジェネレーションXのセレブリティーには、ロバート・ダウニー・Jrやベネディクト・カンバーバッチ、ケイト・モスなどがいる。

●ジェネレーションY（ミレニアル世代、スノーフレイク世代）

政治を語るにも社会を語るにも、いま英国で何かと話題に上がるのがこの世代、ミレニアル世代だ。彼らは**一九八一年から二〇〇〇年代初頭**に生まれた人々のことである。この世代はそれまでの時代には存在しなかった様々なテクノロジーの恩恵に与って（あずかって）きたので、恵まれた世代だと言われることが多い。

しかし、この世代は二〇〇一年九月十一日に起きたアメリカ同時多発テロ事件をはじめとする多くのテロが世界中で起きた時代に育った世代である。さらに、この世代の中で下のほうの人々たちは、経済低迷の時代に就職することを余儀なくされて、持ち家を買うというような祖父母の世代には当たり前にできたことがもはや不可能になった世代でもある。高い失業率を経験した世代で、大学を出てもしばらくはインターンとして無給で働くことがふつうになったり、ゼロ時間契約などの不安定な雇用で働くことになってしまっている若者も多い。彼らは、ポリティカル・コレクトネスに敏感な世代であり、メンタルヘルスの問題が増加した世代でもあることから、年上のガサツな人々からは「雪片（せっぺん）のように壊れやすく傷つきやすい世代」と揶揄（やゆ）されることがあり、「スノーフレイク世代」と呼ばれることも。

この世代の著名人は、エマ・ワトソン、エド・シーラン、ジャスティン・ビーバーなど。

●ジェネレーションZ（ポストミレニアル世代）

二〇〇〇年代初頭以降、すなわち二十一世紀に生まれた世代を総称してジェネレーションZと呼ぶ（と書いていてふと思ったのだが、この後の世代は、アルファベットの振り出しに戻ってジェネレーションAになるんだろうか）。ジェネレーションZは初の「デジタル・ネイティヴ」の世代。つまり、生まれたときからインターネットがあり、スマートフォンをいじりながら育ったジェネレーションである。アメリカ同時多発テロ事件の後で生まれた（または事件発生時に赤ん坊だった）人々なので、テロや紛争のない平和な時代を知らない世代でもある。

彼らの親の世代は経済不況の影響を受けているから、ジェネレーションZは子どもの頃から不況で苦労する人間たちの姿を見てきた。だからお金の問題に関心が高く、金銭の使い方がしっかりしているという説もある。

まだ成人前の世代なので、いまの時点で彼らについて語るにはけっこう無理があるが、これまでのところ、この世代はデジタル・ネイティヴであるせいか、上の世代より情報通であり、環境問題への関心を始め「世界を変える」ことへの意識が強いと言われている。

この世代の著名人には、グレタ・トゥーンベリ、ビリー・アイリッシュなど（非著名人では、両親よりも遥かに分別のあるわが家の息子もそうである）。

こうした括り方が英国（と米国）のメディアでは主流に見えるが、当然ながら、ベビー・ブーマー世代にもスノーフレイクのように傷つきやすい人々は存在するし、ジェネレーションXで括られる人々の中にも熱血でエモい人々は存在する。

だから大勢の人々の性格や個性を世代で括ることには無理がある。が、話のネタとしては面白い。加え、育ってきた社会環境（これにしたって貧富の差とか、親の人間性とかで環境には差が出る、ということにはいちおう念を押しておくが）というか、つまり冷戦中だったとか、紛争だらけの時代だったとか、生まれたときからインターネットがあったとか、スマホを使いながら育ったとか、そういう要素によって、目や耳にした（いじった）メディアの形態や多感な時期に触れた情報の質が違えば、世代間で差が出る部分はないとは言えない。さらに、それが特定の世代の生活習慣や考え方などにまったく影響をおよぼしていないとは、誰にも断定はできないのである。

②英国に特有の世代

ここまで見てきたように、英国で一般的に使われる世代分けは米国のものとまったく同じなのだが、中には英国特有の世代も存在する。以下に紹介するのはそのいくつかの例だ。

●（英国版）ヤッピー

ヤッピーは米国にも存在するが、英国ヴァージョンは微妙に定義が違うらしいのでここで触れておきたいと思う。ヤッピーは「Young Urban professionals（若き都会のプロフェッショナルたち）」の略称とする説と、「young, upwardly-mobile professional（上昇し出世する若きプロフェッショナルたち）」の略称とする説があるが、米国で発明されたというこの言葉は、八〇年頃に使われるようになったが、どのライターやジャーナリストが作ったのかは現在まで諸説あって定かではないらしい。

しかし、英国では、この言葉はサッチャー政権と強く結びついていて、七九年のサッチャー首相就任時から一九八七年のブラックマンデー（世界的株価大暴落）までの八年間の、株価上昇、公営住宅払い下げの時代に、「赤いサスペンダーと煉瓦のようなサイズの携帯電話」に象徴されるファッションで金儲けし、出世した若者たちがヤッピー世代と総称されるようだ。

●スローン・レンジャーズ

ジェネレーションXの中でも、上のほうの年齢層（一九八〇年代前半に若者だった人々）のサブカルチャー。とはいえ、これは英国全体の現象ではなく地域はきわめて限定的。郵便番号がSW10、SW3、SW1の地域、早い話がスローン・スクエアと呼ばれるロンドンの地区に生まれた文化だ。この地域は、高級でエレガントでお洒落でヒップというイメージがあり、いまでもこの郵便番号に住みたいと憧れる人は多い。このサブカルチャーを象徴するピンナップ・ガールは、いまは亡きダイアナ妃（若くてまだファッションがコンサバっていうか、いい家のお嬢さん風だった頃）だった。ヘアバンドやピーター・パン風のフリルの襟元、ツインニットに真珠のネックレス、ツイードのスカートなど、女性のファッションはあくまでもお上品。一方、男性のファッションはと言うと、名門高級英国紳士服店が立ち並ぶサヴィル・ロウのテーラーで仕立てたスーツを着て、週末にはハンティング用のアウトドアファッションを身にまとう。こちらもどこまでも由緒正しい上流階級風だ。

その意味では、スローン・レンジャーズは世代というより階級の呼び名と言っても良さそうだが、ダイアナ妃が大人気だった八〇年代前半は、とくにお金持ちでなくとも彼女のファッションを真似ようとする女性たちが英国中に溢（あふ）れていた時代だった。

また、スローン・レンジャーズは一九五〇年代のような気風、すなわち伝統的な価値観へのこだわりを持っていた最後のサブカルとも言われている。スローン・レンジャーズのバイブルと言われた一九八二年刊行のハンドブック、『スローン・レンジャー』（ピーター・ヨーク、アン・バー共著）には、こんなことが書かれていた。

「規則は知っています。でも、いつも確かめておくことはいいことです」

ルールなんて知ったことか、んなもん蹴破ってやれ、アナキー・イン・ザ・UK。のパンク世代の後に反動のように出てきた、ルールから絶対に外れていないことをお洒落とするハイソなコンサバ・カルチャー。それがスローン・レンジャーズだったのだ。

●ラッズ（LADS）

「lad」は「やつ」とか「向こう見ずな男」、「野郎」と訳される。だから、「lad」の複数形「lads（ラッズ）」は、それこそ「野郎ども」と訳すことが可能で、「ハマータウンのおっさんたち」を称するのにぴったりの言葉とも思える。が、実際には「ラッズ」はおっさんたちよりもっと下の世代、「ジェネレーションX」の時代に生まれたサブカルチャーの呼称である。

九〇年代のマッドチェスターはマンチェスターとマッド（気が狂った）をかけた言葉だ。それは八〇年代後半から九〇年代にかけてマンチェスターで火が付いた音楽のジャンルのことであり、ドラッグの影響を受けたサイケデリックでダンサブルなロック音楽のことだった。ストーン・ローゼズ、ハッピー・マンデーズなどがその象徴的バンドとしてあげられる。こうした音楽ムーブメントのファッション性に、フットボール・ファンの酒気帯び性と暴力性、エクスタシーの流行、格安航空会社の登場で可能になった海外でのスタッグ・ウィークエンド（結婚式の前に新郎が友人たちと男性オンリーでどんちゃん騒ぎの週末を過ごす）、欧州各地で飲んだくれて暴れるようになった若い英国人男性たち、などの要素が合わさったのが「ラッズ」カルチャーであり、ピークに達したのは一九九六年の夏だと言われている。

一九九六年の夏、イングランドでＵＥＦＡ ＥＵＲＯ96が開催され、「ラッズ」たちのヒーローであるポール・ガスコインの活躍でイングランド代表は二十八年ぶりに準決勝進出を果たした。が、またもや宿敵ドイツとぶつかり、（例によって）ＰＫ戦の末に敗退する。国内でＥＵＲＯが開催されたというだけでも盛り上がるというのに、（いつものように）イングランド代表がやたら劇的な勝ち方や負け方をしたものだから英国中の「ラッズ」たちは仕事も忘れて興奮し、英国中でビールはバカ売れ、パブは大繁盛のやたら酒臭い夏だった。

こう書いてくると、「ラッズ」たちは酔っ払ってフットボールの試合を見て暴れているガラの悪い労働者階級のごっついフーリガンたちのように聞こえるかもしれない。しかし、「ラッズ」の実相は、ひょろっとした中産階級の若者たちが酔って気が大きくなってイングランド代表のシャツを着てイキってる、みたいな感じだった。

●ブリジット・ジョーンズ世代

ラッズのガールフレンドたちがブリジット・ジョーンズ世代だった。こちらはヘレン・フィールディング著のベストセラー小説『ブリジット・ジョーンズの日記』（一九九六年出版）から来た呼称である。同作は、三十代の独身女性がロンドンで一人暮らしをしているというストーリーで、仕事や恋愛の悩み、ダイエット、アルコールとタバコへの依存を断ち切ろうとする姿などが同年代の女性たちの共感を得、一九九〇年代後半のアイコン的な本になった。

二〇〇一年にレネー・ゼルウィガー主演で映画化されるとその人気は一種の現象と呼べるものとなり、上司役のヒュー・グラントが「すてきな中年の色男」として再ブレイクし、恋人役のコリン・ファースが「結婚したい理想の男性」として女性たちのハートを虜(とりこ)にした。

ブリジット・ジョーンズ世代は、伝統的な結婚という男女の形ではなく、働きながら一人で生きることを選ぶ女性たちの世代と言われるが、それは八〇年代の肩パッド入りのフェミニストたちのような「デキル感」や強さを強調するものではなく、迷いながら、躓(つまず)きながら、しょぼい間違いもやらかしながら、女性同士のシスターフッドを重んじるという、等身大の独身女性像を目指した。

この世代はシングル女性を増やした元凶とも言われていて、二〇〇八年には保守党議員が「ブリジット・ジョーンズ世代のおかげで家族の崩壊が起きた」と発言したことがあり、「何を言っとんのじゃ、この爺さんは」とこの世代の女性たちから大反発をくらったことがある。

③ベビー・ブーマー世代とミレニアル世代の仁義なき戦い

EU離脱の国民投票で離脱派が勝利して以来、英国で激化していると言われているのがベビー・ブーマー世代（ハマータウンのおっさん世代）とジェネレーションY、すなわちミレニアル世代の仁義なき世代間闘争である。

ミレニアル世代の若者たちはEU残留を支持し、ベビー・ブーマー世代は離脱を支持する傾向にあるわけだが、国民投票で離脱が決まったとき、若者たちはいっせいに上の世代を責め、あんたたちが私たちの未来をめちゃくちゃにしたと激怒したのだった。

あのときはテレビやラジオのブレグジット討論番組なんかにもベビー・ブーマー世代の識者とミレニアル世代の識者が出演し、最後には喧嘩みたいになっていた。というか、若者たちが「あんたたちはもうさんざん生きたからいいが、僕たちはこれからが長いんだから、この国の未来は俺たちに決めさせてほしい」みたいなことをさかんに訴え、年寄り世代は年寄り世代で、「いや、君たちはまだ青い」とか「何が本当に英国の未来にとっていいのか、君たちには見えていない」みたいなことを言って譲らないのだった。

まあしかし、両者が言い争っている姿は、なんか親子が家庭で口論しているようにも見え、もしかしたら英国はいま壮大な親子喧嘩の真っ最中なのかもしれないと思ったものだった。

では、なぜに両者はそんなにいがみ合うのか。

まず、ベビー・ブーマー世代は、(「今日びの若いもんは……」といつの時代も上の世代が下の世代について語ってきたように)ミレニアル世代は意志が弱くへなへなしていて、すぐに壊れる雪片のように繊細すぎ、辛抱強く地道に働くより、ソーシャル・メディアにセルフィーを投稿することに夢中で、有名になることや自分のステイタスにばかりこだわっている、と考えている。

逆に、ミレニアル世代のほうは、ベビー・ブーマー世代のことを、とても強欲で自分勝手で、自分たちの未来のすべてを潰しにかかってくる強引な人々だと感じている。持ち家世代の彼らが不動産を転がして金儲けするので住宅価格や家賃は上がる一方なのに、若い世代は家を買うどころか食費を削って家賃を払うような時代がやってきた。むかしの世代のように職場が有利な年金制度を提供してくれた時代も終わった。それに、何よりもまず、ベビー・ブーマー世代にはＥＵ離脱派が多い。国内経済や社会福祉制度がダメならいつでも欧州内の別の国に移動して生きていけることだけが若い世代の唯一の特典だったのに、そのドアすら閉ざしてしまったのだ。年寄りの世代っていったい何なのか。我々を殺したいのか？　こういうことを言っているミレニアル世代の声は幾度となく聞いたことがある。

「あんたたちはいい時代を生きた声のデカい世代」

「おまえらは覇気のないやる気のない世代」

みたいなベビー・ブーマー世代とミレニアル世代の対立は、これは日本にスライドさせるとむしろ全共闘世代と就職氷河期のロスト・ジェネレーションの分断に似ているのではないか。

④そのとき、ジェネレーションX世代は

こうやってミレニアル世代とベビー・ブーマー世代の対立が深刻化する英国で、忘れ去られがちなのは、実はこの両世代にはさまれてジェネレーションXという世代も存在するということだ。

何かと敵と味方に別れて二項対立で戦うことが主流になっている社会で、実はこの中間の世代が果たせる役割があるのではないかと言う識者もいる（ジェネレーションX世代には、「あんまりこういう熱い戦いには関わりたくない」みたいな人々も多いが）。わたしなんかはジェネレーションX世代の最年長の年齢にあたり、ちょっとベビー・ブーマーも入ってるのかもしれないが、確かにベビー・ブーマー世代とミレニアル世代の仁義なき戦いを目にすると、自分はどっちにも属さない気分が濃厚にする。

もともと「ジェネレーションX」という言葉は、ダグラス・クープランドが一九九一年に発表し

た『ジェネレーションX——加速された文化のための物語たち』に由来していて、この本の影響もあり、ジェネレーションXという世代は、ニヒリスティックなスラッカー（一九九〇年代に、何ごとにも熱心になれない怠け者たちという意味で使われた言葉）たちだと思われてきた。社会に対しても政治に対しても関心がなく、非常に個人主義的で醒めていて、日本で言う「しらけ世代」や「新人類」のイメージがちょうどこれに符合するだろう。

が、ジェネレーションX世代は大人になった。結婚、離婚、リストラ、失業、再就職、子育て、養育費、など生活における地べたの経験を積み、人生の重荷を背負い、くたびれた中年になった。と言えばそうなのだが、その反面、成長し、大人になったとも言える。この世代は、いま四十代から五十代前半だ。実は、様々な業界で中心的存在となって仕事をこなす地位にいる人がもっとも多い。ジェネレーションXは、実はベビー・ブーマー世代とミレニアル世代の両方の特徴を併せ持っている。勤勉に働くことも知っているし、遊ぶときは遊ぶ。ジェネレーションXはけっこう忙しく生きる人々なのである。ベビー・ブーマー世代はインターネットがよくわからないし、ミレニアル世代はインターネットと共に育った。そしてジェネレーションXはそのクリエイターだった。

スティーヴ・ジョブズやビル・ゲイツといったベビー・ブーマー世代の中でも若いほうの人々をジェネレーションXは「いい感じじゃん」と仰ぎ見、彼らが創造したものを引き継いで自分たちが何をできるかを考えて、生み出した。それが一九九〇年代後半のインターネットバブルであるドット・コム・ブームだった。さらに、いま思えばバカでかい携帯電話を使いこなし、初めての携帯メールを送ったのもジェネレーションXの世代だ。

この世代は子ども時代にパンクを聞き、インディー・ミュージック、グランジ、テクノといった音楽のジャンルをクリエイトした。週末はビールとエクスタシーでレイヴしまくり、とことんバカになってボロボロになるまで踊っても、月曜日の朝はきちんと起きて仕事に行った。それがジェネレーションXなのだ。この世代は、夢を見ることも現実的になることも知っている。

ベビー・ブーマー世代は過去に生きすぎて、未来を台無しにしようとしている。ミレニアル世代は未来を怖がりすぎて、過去を見ていない。ジェネレーションXは何が過去にあったかを知っているし、時代の変遷をある程度見てきた者として、未来は作り変えることができるということを認識している。

戦争に関してもそうだ。戦後すぐに生まれたベビー・ブーマー世代は、実際には経験していない戦争が「終わった事実」によって人格形成期の環境を決定づけられたと言っていい。ミレニアル世代はまだ起きてもない戦争を恐れ、それが起きたら人類は今度こそ終わりだという終末観を持っている。

しかし、英国のジェネレーションXは実際に戦争を知っている世代だ。フォークランドで、ボスニアで、アフガニスタンで、イラクで、末端の兵士として戦った軍人が友人の中にいたりする世代だからだ。そしてこれらの戦争に反対して激しい抗議活動をした人々がいる世代でもある。ある意味では、数々の過ちの中を生きてきた世代であり、それだからこそ二度と戦争をしてはならないことを知っている。

ジェネレーションXから見れば、ベビー・ブーマー世代とミレニアル世代の対立は不毛に見えるし、実はやっぱり彼らは似た者どうしなんじゃないかと思える。どちらも我が強く、「我々は」「あいつらは」の世代グループ意識が高く、自分たちが正しいと信じて疑わない自信に満ちているからだ。

そこへ行くとジェネレーションXは地味だ。二つの派手な世代に挟まれた、印象の薄いぼんやりした世代。もともと醒めたところから出発した人々なので、世代意識や結束観も希薄で、いまでもどこか、ばらけている。

ベビー・ブーマー世代とミレニアル世代が喧嘩をする真ん中で、低く頭を下げて両陣営の唾がかからないように気を付けながら、育児や仕事や社会の細々した雑事や事務作業をこなしながら、淡々と地味に世の中を回しているのがジェネレーションXだ。というか、実際に社会の中心となってコミュニティーを回す年齢にあたる世代なのだから。

自分もそこに一応入るので、ひいき目があるのかもしれないが、最近の英国を見ていると、わたしはジェネレーションX世代にちょっとばかりの愛情を感じずにはいられない。

（ジョンソン首相もジェネレーションXじゃないかという人々には、彼は一九六四年生まれなのでベビー・ブーマー世代の最後の年に生まれた毒々しい花火であるとわたしは言い張っておきたい。でも、キャメロン元首相はジェネレーションXに入ってるので、そこはちょっと口ごもりたくなるポイント）。

⑤ジェネレーションZを育てたジェネレーションX

ジェネレーションXはよく「アンサング・ジェネレーション（縁の下の力持ち世代）」と呼ばれる。ベビー・ブーマー世代とミレニアル世代に挟まれて、社会的に影響力を持つ世代と認知されたことがない、というか、存在じたいをあまり認められてこなかった影の薄い世代だからだ。

しかし、ようやくそれが変わりつつあるという。いつの時代も企業は若者たちを消費者のターゲットとしてマーケティングを行う。二〇〇〇年代初頭以降に生まれたジェネレーションZたちが主要な消費者グループとして研究されるようになるにつれ、彼らを育てた世代としてジェネレーションXの重要性に注目が集まっているというのだ。

二〇一九年七月二十九日付ブルームバーグの「リアリティ・バイツ・バック：ジェネレーションZ世代を真に理解するにはその親たちを見ろ」という記事によれば、センター・フォー・ジェネレーショナル・キネティクスでジェネレーションZの研究を行っているジェイソン・ドージー氏は、ジェネレーションZについて、「彼らは単なるミレニアル世代の極端なヴァージョンではなく、別物だ。そしてそのおもな理由は親からの育てられ方にある」と話している。

アディダスやマクドナルド、トヨタ自動車をクライエントに持つドージー氏は、親の育て方が後の世代の仕事やお金の使い方、そして教育に対する価値観に影響をおよぼすという。

ジェネレーションXはベルリンの壁の崩壊や湾岸戦争、チャレンジャー号爆発事故などを見てきた。彼らが子どもだった一九七〇年代は離婚が急増した時代でもある。どんどん経済のグローバル化が進み、競争が激しくなって労働環境もタフになっていく中で、社会人として生きてきた人々である。そんなジェネレーションXの子育てをライト州立大学のコーリー・シーミラー教授はこう分析する。

「ジェネレーションXはジェネレーションZを自分たちのように自主自律性があり、シニカルな人間になるよう育てている。あまり手綱を締めないで自由にさせている」

「(ジェネレーションZは) 自分自身で答えを見つけている」

調査の結果、ジェネレーションZ世代は、ミレニアル世代と比較して、打たれ強いこともわかっている。ミレニアル世代の二五％が「自分は職場で存在価値を認められていると感じないので二年以内に仕事をやめようと考えている」と答えたが、すでに仕事についているジェネレーションZ世代の層では、一五%に留まったそうだ。

さらに、ジェネレーションZはお金の使い方に慎重で、ミレニアル世代よりも収入の中の多くの部分を貯蓄する傾向があり、MintやAcornsといったお小遣い帳アプリを使っている人が多いらしい。

要するに、ジェネレーションZは、ジェネレーションXと同じように、ワイルドな世代ではなさそうだ。いまだにワイルドサイドをほっつき歩いている人たちもいるベビー・ブーマー世代や、彼らに育てられた「ワイルドに親と喧嘩する」ミレニアル世代と違い、X世代とZ世代は、静かな諦念をもって地味に自分を生きていく世代と言えるのかもしれない。

⑥ベビー・ブーマー世代は社会の悪なのか

英国で近年話題になっているのが、「ベビー・ブーマー世代叩き」と呼ばれる風潮であり、これはEU離脱の国民投票以降、とくに顕著になった。

「ブレグジットは、ベビー・ブーマー世代が私のような若者に突き立てた中指だった」(二〇一六年六月二十四日付vox.com)「どのようにしてベビー・ブーマー世代は最も自分勝手な世代になったのか」(二〇一六年十一月三十日付businessinsider.com)みたいな敵意剝き出しの批判にさらされることになり、彼らは「グレイテスト・ジェネレーション」から「レイシスト・ジェネレーション」になってしまったという非難する若者たちさえいる。

英国のEU離脱国民投票の後で彼らが特に激しく批判されたのは、世論調査の結果、彼らがブレグジットの結果「国内で職を失う人がいたとしても、英国はEUから離脱することが正しいと思っている」と判明したときだった。

二〇一七年七月に世論調査会社ＹｏｕＧｏｖがＥＵ離脱の投票で離脱に票を入れた人々を対象に行った調査によれば、「そんなことが起こるとあなたが考えるかどうかは別にして、ＥＵから英国が離脱するためには、英国の経済にかなりのダメージが及んだとしてもかまわないと思いますか」という質問に対し、五十歳から六十四歳までの層では六〇％が、六十五歳以上ではなんと七一％が「イエス」と答えている。同じ離脱派でも、十八歳から二十四歳では四六％に落ちる（二十五歳から四十九歳では五六％）。

さらに、「そんなことが起こるとあなたが考えるかどうかは別にして、ブレグジットのせいであなたやあなたの家族の誰かが仕事を失ったとしても、ＥＵから英国が離脱するためならやむを得ないと思いますか」という質問では、十六歳から二十四歳までの離脱派は二五％しか「イエス」と答えなかったが、六十五歳以上では五〇％が「イエス」と答えた。

こうした結果から、「強硬離脱派」というのはベビー・ブーマー世代の高齢者が多いのだと考えられるようになり、そりゃそうだろう、高齢者はもう年金暮らしの人が多いので失業とか経済の良し悪しとかは関係がないし、ずっと同じ金額の年金をもらって暮らしていく人たちなんだから、自分のイデオロギーのことしか考えてない自己中心的な人々なんだよ、と若い層からぶっ叩かれるようになった。

こうした論調は「ブーマー責め（boomer-blaming）」と呼ばれ、「ベビー・ブーマー世代のせいで英国はこんなたいへんなことになった」「何もかもベビー・ブーマー世代が悪い」という高齢者責めが盛り上がったが、そうなってくると反対する人たちも出てくるものだ。「ベビー・ブーマー世代は真剣に後の世代の未来のことを考えて離脱に票を入れたのだ」というような主旨の記事も出て来るようになった。

こうした「ブーマー責め」の現象を分析しているのが、二〇一七年二月二十日配信のLSE（ロンドン・スクール・オブ・エコノミクス・アンド・ポリティカル・サイエンス）の記事だ。ジェニー・ブリストウ（カンタベリー・クライスト・チャーチ大学講師）が書いたその記事によれば、彼女は一九八六年から二〇一一年までの英国の新聞記事を調査し、ベビー・ブーマー世代の扱いがどのように変遷してきたかを分析した。それによると、ベビー・ブーマー世代は以前にも多少の関心を持たれたことはあったが、明確に「プロブレム」と見なされるようになったのは近年のことだという。

まず、彼らが老いるにつれて経済的「プロブレム」として描かれることが増えてきた。戦後のベビー・ブームの時代にできた子どもたちと言われる世代だけあって、彼らは人数が多い。だから、一斉に年を取ってリタイアし、年金を受け取るようになると、下の世代にとって大きな負担になるという見方をされるようになってきたというのだ。これに高齢化社会への不安も合わさって、ベビー・ブーマー世代は福祉社会が持続可能でなくなる元凶として描かれるようになる。二〇〇六年には、ベビー・ブーマー世代が一斉にリタイアするときのことを懸念した記事の中で、「ブーマゲドン（ブーマー世代＋ハルマゲドンの造語）」なる言葉も使われていたという。

さらに、二〇〇〇年代後半のリーマンショックとそれに続いた金融危機の後は、歴史的な位置づけを使って「ブーマー責め」を煽る記事も出てくる。つまり、一九六〇年代という英国文化の黄金時代に成長し、クールな青春時代を送ることができた幸運な世代が、哀れな若い世代から年金を搾（しぼ）り取っているというイメージが定着し、このラッキーな世代は、文化的にも最も英国が素晴らしかった時代を生きた「得ばかりしている人々」だ、という嫉妬まじりの描かれ方をするようになったのだ。たとえば、二〇〇八年のタイムズ紙の記事には、「彼らはローマ時代以来の歴史の中で、もっとも快楽主義的で簡単な楽しみを経験した。たくさんのセックス（私たちが大人になった頃はHIVの問題でそれはもうできなかった）、最高の音楽（悪いけど、コールド・プレイとジミ・ヘンドリックスじゃ比べ物にもならない）、そして特権を持っていた人々が陥るたやすい理想主義」という若いライターによる記述があった。

英国では、ベビー・ブーマー世代は、一九六〇年代の自由闊達（かったつ）にスウィングしていた享楽的なカルチャーと合体させられたのである。そして、政治的にうまく世の中を回せず経済危機を引き起こし、利己主義で快楽主義的に人生を生きてきた人々として、道徳的な見地からも批判されるようになる。

つまり、EU離脱の投票後に噴き出したベビー・ブーマー世代への批判は、そのずっと前から綿々と存在したのだ。この世代はまだ中年で仕事をしている年齢の頃から、将来的に社会のお荷物になる世代としてネガティブに描かれてきたのだった。

そしてEU離脱の国民投票でベビー・ブーマー世代の多くが離脱に票を投じていたことがわかると、「ブーマー責め」の勢いはマックスに強まり、「裏切り者世代」と呼ばれたり、「自分たちはブレグジットのダメージを見る前に死ぬくせに」みたいな言葉さえ飛び出す有り様だった。

で、こう書いてくると、やはりわたしは、ここにも緊縮財政の影響を見ずにいられない。

政府がきっちり財政支出をして、若者たちに巨額の学生ローンを抱えさせたりせず、個人請負業やインターンという無給の仕事をさせたりしないように働き方を改革し、世界中の民間投資家が英国の住宅を買い漁って住宅価格が高騰しないように制度を整え、若者たちが手頃な家賃で住める公営住宅をたくさん建てるなどの、政治・経済的な取り組みで若者を生きやすくしていれば、下の世代が高齢者世代を経済的負担と考えて忌み嫌ったり、「いい時代にいいセックスしていい音楽を聴いた人たち」とか妬(ねた)みに濁った眼で見ることもなくなるのである。

だいたい「楽しんだあいつらは許せない」とか「わがまま」とか、モラル的なことを理由に人々が特定のグループをバッシングしだすときは、社会全体に余裕がないときだ。そんなときはだいたい、お金がないから楽しいことは我慢しなさい、なんにつけても節約・倹約し、自分の身の丈に合わないことは諦めて生きていくことが一番の美徳です、と言い聞かされている陰気な時代だ。これを一言でいうと、「緊縮の時代」という。

人種差別や排外主義だって緊縮財政と大きくリンクしているということが、近年、欧州ではさかんに指摘されている。「自分より得をしている気がする者」を全力でぶっ叩きたくなるのが緊縮時代の人々のマインドセットだとすれば、そのターゲットは外国人にも生活保護受給者にもシングルマザーにもなり得るのであって、「いい時代を生きたベビー・ブーマー世代」もその一つの形態に過ぎない。

ほんと、何度言っても言い過ぎることはないほど、緊縮財政というやつは罪つくりなのだ。

II——英国の階級はいまどういうことになっているのか

①BBCの階級算出機

英国は不思議な国である。別にインドのようなカースト制度があるわけでもないのだが、「英国は階級社会」というのが世界の人々の常識になっていて、それが別に何の根拠もない単なるイメージなのかというと、実のところそんなこともない。人々の意識の中に、「階級」というものが何故かいまなおしっかりと組み込まれている。

新自由主義や緊縮財政といった経済システムのせいで格差が開くと同時に、「階級」的な物事の考え方や捉え方が大きく復活したのは今世紀に入ってからと言えるのだが、それを裏付けるように、BBCニュースのサイト（https://www.bbc.co.uk/news/magazine-22000973）に行くと、二〇一三年四月三日に配信されたCLASS CALCULATOR（階級算出機）なるものがあり、自分がどの階級にあたるのか判定できるようになっている。

この算出機で、まず質問として出てくるのが、年収と貯金の額だ。

次には、「以下のどのような方々と交際していますか？」の質問が出てきて、秘書、看護師、清掃業者、弁護士、芸術家、教員、ダンプ運転手、小売店員など、様々な職業がずらっと並べてあり、その中から自分が交友のある人々の職業を選ぶ。

次に進むと、今度は「どのような文化的活動に参加していますか？」の質問があり、オペラを見に行く、ビデオゲームをする、スポーツ観戦する、SNSを使う、ヒップホップやラップを聞く、ジャズを聞く、芸術や工芸を楽しむなど、様々な項目があり、ここも自分がすることを全部クリックしていく。

そして次に進むと、「あなたが選んだ項目を総合すると、あなたはこの階級になりました」と自分の階級を教えてくれる。

この算出機は、二〇一一年にBBCラボUKが行った「ザ・グレイト・ブリティッシュ・クラス・サーヴェイ（大英国階級調査）」に基づいていて、十六万一千人以上が参加したという。このサーヴェイは階級に関する調査としては英国最大のものだったという。

②英国の階級はいまや七つ？

この調査を行ったBBCは、従来の「労働者階級、中流階級、上流階級」という三つの階級に分ける方法は、現在の英国社会の現状に合っておらず、現代では、三つではなく、七つの階級に分けるのが適切なのだと提案した。従来、階級と言えば、職業と収入だけで分けられてきたが、いまはそれだけではなく、ソーシャル（社会的と訳すより、社交的と訳すべきだろう。前述の質問から考えて）な側面、そして文化的な側面を加味しなければならないのだという。

BBCラボUKが編み出した新たな七つの階級は次のとおりだ。

一、エリート

英国で最も特権的な階級。「富」という点で、他の六つの階級とは一線を画す。この階級は、収入&職業、ソーシャル、文化のすべてのリソースにおいて、豊富に「持っている」。この層に属する人々は英国全体の六%と考えられている。この階級は排他的で、外からの人間はここにはなかなか入れない。ほとんどが親もこの階級の人々で、エリート私立校や名門大学を卒業している。ロンドン、または故郷の地方の町に住んでいることが多い。

二、エスタブリッシュト・ミドル・クラス

「世間に名声を認められた中流階級」とでも訳すのだろうか。しかし、この層はなぜか英国で一番多いことになっていて、全体の二五%だ。エリートに次いで富を持っていて、ソーシャル、文化のリソースも豊富。広い範囲の人々と交際し、文化的関心も多岐にわたる。弁護士、医師、会計士など伝統的な専門職についている人や、企業の管理職が多く、都市の郊外で暮らしていることが多い。

三、テクニカル・ミドル・クラス

全体の六%に過ぎないという、人数の少ないこの階級の人々は、経済的には裕福だが、ソーシャルな資本の幅がなく、文化的資本も少ない。研究リサーチや科学など技術的な仕事についていることが多く、自分と同じような職業やタイプの人々と交際する傾向がある。また、新しい文化を好み、ソーシャルメディアもよく使う。クラシック音楽を聴いたりしてハイブロウなカルチャーに浸りたいタイプ。イングランド南東部の郊外に住んでいるケースが多い。多くがミドルクラスの家庭の出身。

四、ニュー・アフルエント・ワーカーズ

「新しい裕福な労働者たち」とでも呼んでおけばいいだろうか。この層は、平均年齢四十四歳の若い層で、ソーシャル（社交）面でも文化面でも活動が盛んな人々。経済的にも安定していて余裕がある。スポーツをしたり、コンサートを見に行ったり、ソーシャルメディアを多用したりするが、クラシック音楽や劇場観劇といったハイブロウなカルチャーは好まない。イングランド北西部や中部の古い工業都市に住んでいることが多く、労働者階級出身であることが多い。全体の一五％を構成する層。

五、トラディショナル・ワーキング・クラス

平均年齢六十六歳と最高齢のセグメント。全体の一四％にあたるこの層は、いわゆる昔ながらの伝統的な労働者階級の人々だ。このグループのほとんどの人が持ち家に住んでいて、収入は低いが資産がまったくないわけではない。自分と同じような職業の人々と交際している。フィットネスジムに通うとかソーシャルメディアを使うというような現代風の文化はあまり取り入れない。ダンプの運転手、清掃職員、電気技師などの仕事をしていることが多い。

六、イマージェント・サービス・ワーカーズ

「新興のサービス業労働者たち」が日本語訳。平均年齢三十四歳の最も若い層であり、経済的には不安定で資産もないが、ソーシャル・リソースは多く、文化的活動も積極的に行っている。コンサートに行く、スポーツをする、ソーシャルメディアを使う、などの分野でこの層は最も高いスコアをはじき出す。都会に住む人々だが、ロンドンではなく、リバプールやニューキャッスルなど、住宅価格も物価もそれほど高くない都市を好んで住んでいる。幅広い階層と交際する人々で、シェフ

や看護師、プロダクション・アシスタントなど、給与は低いがやりがいを感じられる仕事をしている人が多い。この層は全体の一九%を占める。

七、プレカリアート

BBCによれば、現代の英国の階級の最底辺はこのグループになるという。最も貧しく、様々のものを奪われている階級。ソーシャルなネットワークも、文化的な楽しみも持っていない。彼らはただ自分と同じような境遇の人々と交際し、清掃員、介護職、配送業の運転手のような仕事に就いている。文化的な関心にも幅がない。都会から離れた古い工業都市に住んでいることが多い。八〇%以上が賃貸住宅に住んでいる。いま、この階級は英国全体の一五%になり、平均年齢は五十歳だという。

BBCラボUKと組んでこの調査を行ったのは、LSE(ロンドン・スクール・オブ・エコノミクス・アンド・ポリティカル・サイエンス)のマイク・サヴェージ教授とマンチェスター大学のフィオナ・ディヴァイン教授だ。

ディヴァイン教授は、この調査により、英国にはいまだにトップに位置する物凄い富裕層エリートと、ボトムに位置する極貧層(経済面だけではなく、社交、文化という面でも貧しい層)が存在するということがわかったが、興味深いのは、真ん中のほうがむかしよりもずっと多様性を帯びていることだと分析している。「イマージェント・サービス・ワーカーズ(新興のサービス労働者たち)」や「ニュー・アフルエント・ワーカーズ(新たなリッチ労働者たち)」は、従来の「エスタブリッシュト・ミドル・クラス」や「トラディショナル・ワーキング・クラス」とはまったく違う人々であり、どちらの階級にもそのまま当てはめることはできない層だという。

「エスタブリッシュト・ミドルクラス」と「トラディショナル・ワーキングクラス」を足しても三九％にしかならないので、このカテゴリー分けを使えば、現代の英国はいわゆる昔から言われてきたミドルクラスと労働者階級の人たちは全人口の半分にも満たないということになる。

③そのくせ、英国人の六割が自分は労働者階級だと考えている

ＢＢＣが「英国の階級はいまや七つ」と主張する一方で、オックスフォード大学の公式サイトには「今日では英国の大半の人々が自分を労働者階級だと考えている」（二〇一六年六月三十日配信）という記事が掲載されている。

この記事によれば、英国の人々は、階級を定義するものは、職業や学歴ではなく、自分の出自であると考えているという。だから、四七％の人々がミドルクラスと見なされる仕事（管理職や専門職）についているにもかかわらず、六〇％の人々が自分を労働者階級の人間だと見なしているというのだ。

オックスフォード大学のリサーチャーたちが行った調査によれば、実際の労働者階級の人口は全体の二五％にまで落ちているのに、自分は労働者階級だと言う人のほうがずっと多くて、実態と意識が数的に合致しないらしい。さらに、ミドルクラスの仕事をしているのに自分は労働者階級だと言う人々は、移民受け入れなどの問題に対して保守的な意見を持っている傾向が強いということも判明したそうだ。

社会学部のジェフリー・エヴァンス教授によれば、労働者階級のアイデンティティを持っている人たちは、あまり自由主義者ではなく、移民受け入れにも積極的ではないし、階級の違いやそれに

まつわるバリアを重要視していることが多い。

二〇一五年六月から八月の間に行われた英国人社会意識調査は、千人の男女を対象に行われ、二〇〇二年に行われた同じ調査の結果と比較された。この調査では、英国議会の統計作成機関であるONS（国家統計局）が用いている、伝統的職業に基づく三つの階級のカテゴリー、「ミドルクラス（管理職、専門職）」「インターミディエートクラス（中間管理職、自営業、下級管理職）」「ワーキングクラス（マニュアルワーク、セミ・マニュアルワーク）」を使用している。

その結果、「自分はミドルクラスだ」と答えた人は全体の四割に過ぎなかったそうだ。労働者階級の仕事をしている人々は減っているにもかかわらず、この数は一九八三年から変わっていないという。つまり、両親が労働者階級の仕事をした人々だったので、たとえ自分はミドルクラスへと階級上昇を果たしていても、まだ自分は労働者階級の人間だと考えている人々が多いということだ。

また、二〇一五年に調査に参加した人々の七三％が「階級間を移動することはかなり困難だ」と答えたそうで、二〇〇五年の調査では六五％だったというのだから、階級の流動性がなくなってきていると感じる人々が増えたことが浮き彫りになっている。

④階級の流動性か、公平な機会か

階級間の流動性のなさは、閉塞した社会を作ると言われ、階級上昇（「階級の流動性」という言葉が使われるときは上向きの移動を意味する。下向きの移動を推奨する政治家や識者はあまりいないだろう）を果たしやすい社会がいい社会だと言われてきた。

ちょっと賢い労働者階級の子どもや、芸術やスポーツの才能のある貧しい家庭の子どもたちや、成績はそれほど良くなくてもやたらビジネスの才覚のある貧困層の子どもなどが、自らの才能を生かして成功し、階級をずんずん上っていける社会こそが、オープンで開かれた社会なのだと信じられている。

しかし、労働党元党首のジェレミー・コービンは、二〇一九年に党の方針から「階級の流動性」を外した。代わりに掲げたのは「すべての人にチャンスを」のスローガンだ。党内の「階級流動性委員会」を閉鎖して、代わりに「社会的公正委員会」を設置した。コービンはこの理由についてこう話していた。

「階級の流動性という考え方は、つまり誰かを貧困から抜け出させて、私立校の教育やそれ以外の場所に上昇させるということなのだが、これでは大多数を助けることにはならない。いまの我々の社会には、才能を活かせていない人々が大勢いるのだから」

「社会的公正委員会は、たくさんの提案をする。政府を非常に困らせるような質問をするだろう。そして少数の人々ではなく、すべての人々にとっての階級の流動性のチャンスを政府が向上させているかどうか調べていくことになる」

これだけ格差が広がり、それが放置されている世の中では、すべての人々に階級の流動性が約束されるように社会や経済の仕組みを根本から変えなければならないということだろう。ここで思い出すのが、むかし保育園の上司だった三十代の女性がわたしに言った言葉だ。

「階級というのは、選択肢がどれだけ与えられているかということなのよ。それが少なければ少ないほど、階級は下になる」

もはや「階級の流動性」を唱えるぐらいではどうにもならない時代になった、とも言えるかもしれない。

⑤白人の労働者階級がもっとも学業ができないという事実

白人の労働者階級が「社会に取り残されている」と言うと、リベラルの人々は「またそんなことを言って。白人の男性たちはマジョリティーのくせに弱者ぶってるだけ」と言いがちだ。しかし、学校教育に関する限り、英国の学校の成績ピラミッドの最下層にいるのは白人の労働者階級の子どもたちということは何年も前から問題になっている。

二〇一四年六月十八日配信のBBCニュースのファミリー&エデュケーションのページでも、BBCニュースの教育記者が、「なぜ白人の労働者階級は学校で落ちこぼれるのか」という記事を書いている。同記事によれば、英国議会の教育特別調査委員会は、白人の労働者階級の子どもたちを「国の中で、もっとも成績が低いグループ」と認定し、何とかして引き上げねばならないと指摘している。

Ofsted（教育監査局）の責任者であるマイケル・ウィルショーは、英国の学力検査の結果を海外の国々のレベルに引き上げるためには、「貧しい白人の英国人の少年や少女が落ちこぼれているという問題に取り組まないと、全体的な問題は解決されない」と話している。

BBCの記事によれば、問題を複雑にしているのは、貧困だけがその理由ではないということだ。同じ貧しい子どもたちでも、インド人やパキスタン人、アフリカ系やカリビアン系の家族の子どもたちは、恵まれない環境で育っていても成績は白人労働者階級の上である。つまり、「貧困＝成績不振」の構図は当てはまらないのである。

これを文化の違いの問題とする説もある。レスター市が教育特別調査委員会に提出した資料によれば、白人労働者階級は「将来への野心がなく、教育に対してネガティブな態度を持っている」という。つまり、もはや希望もなければ学ぶ気もないというのだ。

英国の労働者階級といえば、学校教育に対してネガティブなところはむかしからあったにしても、自主的に本を読んで教養を身に付けるインテリもむかしはけっこういた。ザ・スミスのモリッシーは、貧しい労働者階級の若者たちにオスカー・ワイルドを紹介したし、デキシーズ・ミッドナイト・ランナーズのアルバムを聴いてローレンス・スターンを読んだ若者たちがいた時代もあった。ザ・ジャムに至ってはアルバムのジャケットにパーシー・ビッシュ・シェリーの詩を引用し、そういうのがクールだと思われていた。

こうした知的なワーキング・クラス・ヒーローたちが英国のポップカルチャーを牽引していた時代は、遠い過去の物語になってしまったのだろうか。

⑥現代版『ハマータウンの野郎ども』? ラッパーによるドキュメンタリー

二〇一八年初頭、ラッパー、プロフェッサー・グリーンのドキュメンタリー、「ワーキング・クラス・ホワイト・メン」がチャンネル4で放送されて大きな話題を呼んだ。

プロフェッサー・グリーンはロンドン東部ハックニーの公営住宅地の出身だ。彼は母親が十六歳のときに誕生し、祖母の手によって育てられ、何の資格も取らずにハイスクールをドロップアウト。二十二歳でインディー・レーベルと契約するまで、大麻を売って生計をたてていた。

そんな彼は、自らと同じような境遇の白人労働者階級の人々が教育に目を向けるようになるために支援が必要だと呼びかける。現代版『ハマータウンの野郎ども』と呼びたくなるようなこのドキュメンタリーは、英国の様々な地域にある貧しいコミュニティに住む十代から二十代の白人男性六人の日常を、半年間にわたって追ったものだ。

ハンプシャーの荒れた貧困地域に住みながらケンブリッジ大学に合格したルイス、十六歳のときに両親を失い、ボルトンのホームレス用ホステルにいた間に極右団体に誘われるデヴィッド、ヤバイ商売にも手を突っ込みながら一攫千金ばかり狙ってふらふらしているデンズィルなど、なぜいま労働者階級の白人少年たちが「アイデンティティ・クライシス」に陥っているのかを同番組は追って行く。

「(労働者階級の)人々は、どんどんやる気を失っている。ほとんど将来への夢を持っていない。自分がドキュメンタリーを撮りに行った地域からは、深刻な意欲の欠如と、何も達成することはできないと自分たちで確信し、それを受け入れていることが感じられた」

プロフェッサー・グリーンはガーディアン紙のインタビューでこう話している。さらに、『ハマータウンの野郎ども』の時代とは違って、現代の若者たちは大学に行くために巨額のローンを払わなければいけないことにも触れている。

「どうして人々が子どもを大学に行かせようとしないのかもわかる。あんな額の借金をどうして背負いたいと思うだろう? 五万ポンド(約七百万円)の借金を背負えって、――千ポンド(約十四万円)も持ってない誰かに説明する。それは嫌になるさ」

いま、英国では約四〇%のティーンが高等教育に進んでいるが、労働者階級の白人の男子となると、この数字は約一〇%に落ちる。また、GCSE(義務教育終了時の全国一斉テスト)でも、労働者階級の白人の生徒(特に男子)の成績は最下位であり、高等教育に進む学力も身に付けていない子が多い。

二〇一八年一月の『スペクテイター』誌のインタビューで、労働党の下院議員アンジェラ・レイナー（影の教育相）も、白人労働者階級の少年たちが教育システムからとりこぼされてしまっていることに言及し、この問題をなんとかすることは英国の重要課題だと話した。この女性議員は彼女自身が十六歳で出産して学校をやめ、シングルマザーとして福祉の助けを受けながら子どもを育てたという、国会議員としては異色の経歴を持つ。女性やシングルマザーの問題にも熱心な彼女は、白人労働者階級の少年たちの問題についてこう話している。

「私たちは人種や女性に関するイシュー（課題）を扱おうとする上で、そこに存在する差別と闘おうとするために、食物連鎖的に、白人の労働者階級の少年たちにネガティブな影響を与えました。彼らはそれに適応することができなかった。私たちは、文化的に、彼らに学ぶ必要はないとか、夢を持つ必要はないとか言っているわけではありません。彼らは、自分たちはがんばってもしょうがないという印象を受けていて、それは前の時代に恵まれない立場のグループが感じなければならなかったものです。彼らが少し遅れてしまっている理由はこれなんだと思います。私たちは、この国の白人労働者階級の少年たちのカルチャーについて、もっと何かをする必要があります」

プロフェッサー・グリーンのドキュメンタリーには、こういう貧しい地域の少年たちの無気力感に染まらず、ケンブリッジ大学への進学を可能にしたルイスが出てくる。が、プロフェッサー・グリーンによればルイスのケースはレアだという。

「彼は、信じられないほどやる気があった。子どもの頃から自分のやりたいことを知っていた。これは例外的だ」「彼の母親はすべてのストレスから息子を遠ざけていたから、彼は集中することができた」とプロフェッサー・グリーンは分析している。

しかし、ルイスは労働者階級の少年が成功する難しさについてこう証言している。

「人々は、僕のような人間たちはこの大学に行くべきではないと本気で思っている。なぜなら、それは一流大学だからだ」

ドキュメンタリーの中で、彼は大学に溶け込むために、英語のアクセントを変え、服もスマートなジャケットを着用し、地元の友人たちのようなパーカーなんて間違っても着ないし、スニーカーも履かない。番組を見ていると、彼は中上流階級の人々を真似し過ぎて逆に滑稽になってしまっていて、いまどきの良家の息子はもっとくだけた格好をしてカジュアルな言葉づかいをするので、あまりにも古臭いイメージの「オックスブリッジ」の生徒を演じているルイスが哀れに見えてくるのだ。

「彼は二つの世界の板挟みになっている。彼は（大学で）ほとんど変装しなければならないような気分になった。彼はある特定の見た目になれなければと思っているし、特定の者になって周囲に馴染もうとしている。僕はそうあるべきではないと思うし、心配している」

プロフェッサー・グリーンはルイスについてこうコメントした。

⑦「白人」労働者階級って言うな！

さて、このように白人労働者階級が社会に置いていかれてしまい、いまや「ニュー・マイノリティー」になっているのではないか、というナラティヴがEU離脱の国民投票後にさかんに語られるようになったので、ちょっと待て、そういうことを言いだすと労働者階級の移民が周縁化されてしまうだろう、という意見もさかんに飛び交った。

たとえば、英国ではむかしから、白人労働者階級は北部の製造業が盛んだった地域に多いというのが通説になっているが、実はこれも近年は様変わりしてきている。

例えば、ラニーミード・トラストとリーズ大学が共同で発表した報告書「北部の町における階級、人種、不平等」によれば、イングランド北部の人口全体に対する移民の割合は九％だ。イングランド全土とウェールズでの数字は一四％なのでそれを下回るとは言え、移民がいないわけではないし、近年、急激に増えている地域もある。

それなのにブレグジット以後、「国の発展に取り残された白人労働者たち」という言葉が様々なところで語られるようになり、それによって政治家たちが北部にも存在する人種、民族間の不平等の問題を無視するようになるのは危険なのではないかと前述の調査書は警鐘を鳴らす。

「民族的少数派の労働者のコミュニティーは、戦後からずっと北部にありました。政治家やメディアの現在の『労働者階級の共同体』の伝え方から、彼らが忘れ去られたり、無視されることがあってはいけないのです」

と、ラニーミード・トラストの代表、オマー・カーンはガーディアン紙に語っている。

つまり、「白人労働者階級が〇〇」というナラティヴを作ると、同じ階級には白人でない人々もいるという事実が忘れられてしまうし、救うべきは「白人」だけではないにもかかわらず、少数派の共同体の問題に光が当たらなくなってしまうというのだ。前述の報告書によれば、北部には白人英国人以外の人々に対し、雇用、住居、教育などの面でいぜんとして差別が存在している。しかし、政治家たちが提唱する北部復興プランには、これらの問題が織り込まれていないと彼らは主張する。

ロンドンやマンチェスターみたいなコスモポリタンな都市とは違い、北部の田舎には、少数派の人々の問題を扱わない経済復興プランはふさわしくないのであって、北部のコミュニティーには、人種に基づく不平等をなくすプログラムも必要なのだと前述の報告書は提案している。

しかし、こういった取り組みを公的に行うことになれば、当然ながら、先立つものはお金である。「政府は全国的な人種格差監査を導入したことで、正しい方向に踏み出しました。しかし、その後には、平等法に基づく義務を順守するために、最も不平等が存在する地域に投資が行われるべきであり、産業戦略のようなより大きな政治的アジェンダと統合されるべきなのです」と報告書を作成した学者の一人であるリーズ大学のロクサーナ・バーブレスク博士は話している。

さらに、この報告書は、北部でのヘイト・クライムの増加についても警鐘を鳴らしていて、イングランド全体とウェールズで起きているヘイト・クライムの三分の一が北部で発生しているという。二〇一八年には、二万九千件のヘイト・クライムが起きており、前年から六千件増加している。

労働者階級を「白人」の専売特許みたいにメディアや政治家が言うから、そこに入ってくる「よそ者」は受け入れられない、という風潮が出来上がってしまうのかもしれない。さらに、逆に言えば、労働者階級に「白人」の枕詞をつけるから、いわゆる「下層民（チャヴ）」のような言葉が生まれて、白人の下層階級は怠け者で向上心がなく犯罪に手を染めがちで暴力的、というような偏見が育ち、それが階級の軸における差別や、当事者たちの無力感に繋がっていく。

過去十年ばかり（ちょうど保守党が緊縮財政をはじめた頃からだということに注目すべきだろう）、メディアは「マルチカルチュラルな社会はうまくいかなかった」という論旨を展開するようになっていた。そしてEU離脱の国民投票以後は、「我々は『白人労働者階級』のニーズを満たすことを忘れていた」というのだが、じゃあ白人以外の労働者階級のニーズはどうなっているの、と移民のほうでは思うだろう。

ところが、この問題が根深いのは、実はそう思わない移民がけっこういるということだ。「労働者階級」には「白人」がつくのだと思い込んでいるから、移民のほうでは「自分たちは彼らとは違う」という意識が、ネガティブな意味でも（「自分たちは労働者階級には入れてもらえない」）、また、ある種の誇りを込めて（「自分たちは労働者階級の悪癖（怠け者、犯罪者、暴力的）とは無関係」）芽生えてしまったのかもしれない。

⑧これからの労働者階級のために

EU離脱をめぐる国民投票以降、英国では「労働者階級」のイメージの悪魔化が進んだ。これは、テレビや新聞などのメディアにも責任がある。あまり労働者階級の人と関わりがなければ、人々はメディアの情報を見て偏見を持つようになってしまうからだ。労働者階級はみんな離脱派、とか、労働者階級はタトゥーだらけのレイシストという描き方をしているテレビ番組を観ていると、本当に彼らはそういう人ばかりなんだと中上流階級の人々は思ってしまう。

こういう報じ方の誤った点は、そもそも労働者階級とは、「EU離脱支持」とか「移民に懐疑的」とかいう文化・思想面で同じ考え方を持つ人の集まりではなく、仕事と収入の基準でカテゴライズされたグループだったはずだということである。

端的に言ってしまえば、労働者階級は文化的階層ではなく、経済的階層だったのだ。だから、今日の英国の労働者階級には様々な人種の人々がいるし、若い人も、中高年もいる。公営住宅に住んでいる人もいれば、民間の家主から部屋を借りている人もいるし、移民もいれば、英国にずっと住んでいる人もいる。

つまり、労働者階級の中にそうとうの多様性があって、この多様な人々は、同じ経験をしてきたという点で共通している。それは、保守党の緊縮財政で公共サービスや福祉を削られて経済的に苦労をさせられてきたことや、労働組合が弱体化して企業のパワーが肥大化した現状の中で、雇用条件や賃金が悪化して生活が苦しくなっていることだ。

わたしは自分自身が移民の労働者だと思っているが、時どき、例えば清掃職員をしている東欧出身のママ友などが、「わたしは労働者階級ではない」というときに、驚くことがある。いや、どう考えてもあなたは労働者階級ど真ん中ですよ、という人々が、「自分は英国人ではないので労働者階級ではない」とか、「自分はパブに行かないので労働者階級ではない」とか言うのである。どうもこの、おもに労働者の外国人による「他人事(ひとごと)感」は、階級というものを経済的階層ではなく文化的階層であるかのように捉えているからである。そして、人々にそう思い込ませてきたのは政治勢力やメディアなのだ。

労働者階級は白人だけのグループではなくて、黒人やパキスタン人やインド人、中国人、フィリピン人などが含まれている。また、欧州全土からやってきた人々も含まれている。それが広く理解されていれば、右翼政党ＵＫＩＰの元党首、ナイジェル・ファラージのような「移民は労働者階級の敵」みたいな言説が支持を集めることもなかったはずなのである。

保守党は、ＥＵ離脱は中上流と労働者階級の文化闘争であると理解している。保守系のシンクタンク「オンワード」は、「有権者たちは自主自立や選択肢や（階級の）流動性を求めているわけではない。彼らは、自分や自分の家督や英国の企業をモダン・ワールドから守ってほしいのだ」と保守党にアドバイスしたことがあった。

ここ数年、「取り残された人々」としてクローズアップされてきた労働者階級は、社会の変化のスピードやグローバリゼーションによるコミュニティの変容についていけない人たちであり、密接な繋がりを持っていたコミュニティの「古き良き時代」を思い出し、労働者階級の価値観を重んじる人々なのだというのである。

しかし、いまどき労働者階級のおっさんたちだってスマホを使い、ワッツアップなどSNSを楽しんでいるし、遠くの国に住む若い娘と恋に落ちてデレデレしていたりする。べつに彼らにとって、時代の変化の速度や国際化が問題ではないのだと思う。むしろ純粋に食えなくなってきた（または、食えなくなるかも）という不安や、雇用待遇が劣化し、生活水準がどんどん下がっているという足元の生活こそが問題なのである。

そしてだからこそ、白人労働者と移民労働者が繋がることは、不可能ではないのだ。なぜなら、経済的な問題は、どんな人種や文化や宗教やジェンダーであろうとも、同じ地域で同じような収入で働いている限り、それは同じ共通の経験だからだ。

労働者階級に「白人」をつけたり、それを文化的階層として吹聴したりするのは、貧しい階級は分断してお互いに喧嘩させとけば政権や政治に怒りが向かわなくていい、という為政者の知恵なのかもしれず、こういうのはむかしから「DIVIDE & RULE」と呼ばれている。ならば労働者階級は「UNITE & FIGHT」（おー、いい感じに韻も踏んでるじゃないか）である。

労働者の立場が弱すぎる現代に求められる新しい労働者階級の姿とは、多様な人種とジェンダーと性的指向と宗教と生活習慣と文化を持ち、それでも「カネと雇用」の一点突破で繋がれる、そんなグループに違いない。

III――最後はだいじなだいじな酒の話

①ブレグジット前に渡仏してワインを爆買いする英国人たち

さて、最後はやはり酒の話である。「世代」「階級」と進んできて、なぜ最後に「酒」で落とすのかといえば、その理由は簡単だ。著者が酒飲みだからである。

でも実はそれだけでもなくて、近年、日本に行ったときに、「英国のパブが潰れている」とか「英国の酒の消費量が落ちている」と言うと、どんな話をしたときよりも相手に衝撃を与えるからでもある。よっぽど「英国といえばパブ」「英国人は大酒飲み」というイメージが定着しているのだろう。とくに、八〇年代や九〇年代に英国に来たことがある人々には、英国人はとにかくビールを大量に飲む、というイメージが目や脳に焼き付いて離れないのかもしれない。

しかし、アルコールは肝臓疾患や癌(がん)の原因になることから、NHS(国民保健サービス)がテレビや新聞などを通じて大々的にキャンペーンを行うようになり(ちょうど「Smoking Kills(喫煙は命取り)」キャンペーンみたいなものだ)、二〇〇四年には国民一人当たりの年間アルコール消費量は九・五リットルだったのが、二〇一五年には七・八リットルまで落ちていた。

が、減少の一途を辿(たど)っていたアルコールの売り上げが、実は再び伸びてきている。国内における売り上げではない。EU離脱で大量の酒を海外から持ち帰るのが面倒くさくなる前に、フランスのカレーなどの港町に渡って安いワインを買い漁る人々が増え、(結局は延期したが)EU離脱の期限とされていた二〇一九年三月末の前月の二月には、カレーにあるマジェスティック・ワインの売り上げが四九％アップし、三月の予約売り上げも七八％アップしていたという。また、カレー・ワイン・スーパーストアでも、三月の予約売り上げは一〇〇％アップだったそうだ。

もとを辿れば、英国の人々がフランスに買いに行くようになったのは一九九〇年代のことだ。フェリーでカレイなどの港にワインを爆買いしに行くことが「ブーズ（酒）・クルーズ」と呼ばれるようになった。現在の為替レートは二十年前より英国の人々には不利だが、それでも、酒類にかかる税金が英国のほうが高いため、フランスで買ったほうが酒は安い。フェリーよりもユーロ・トンネルを使って渡仏する人たちが多いそうで、いまフランスにワインを買いに行っている人たちは、年齢的にはミレニアル世代で、挙式披露宴用のワインやシャンパンを大量に買って行くカップルなどもいるそうだ。カレイのワイン店で特に売れているのは、スパークリングワインだという。

②いま英国で売り上げ急上昇の酒とは？

実際、いま英国で売り上げが急上昇している酒が、じつはスパークリングワインなのである。スパークリングワインとは、いわゆる「バブリー」とも言われる酒で、シャンパン、カヴァ、プロセッコなどを含む発泡性葡萄酒のことである。

英国人といえばパブでビールを飲んでピーナッツを食べていた時代は終わり、優雅にシャンパングラスでスパークリングワインを楽しむ時代へと変わったのだ。むかしからの英国好きにはちょっと複雑な気分になる人も少なくないだろう。

二〇一八年には英国史上最高の一億六千四百万本のスパークリングワインの売り上げ本数を記録

したそうで、そのうち約四分の一はクリスマスやニューイヤーズ・イヴのパーティーで消費されているらしい。金額でいえば、二〇一八年のスパークリングワインの売り上げは二十二億ポンドになり、これは五年前の二〇一三年の二倍以上になっている。特にイタリア産のプロセッコの人気が高く、二〇一五年にはシャンパンを抜いて英国で最も売れるスパークリングワインの座を獲得した。たとえば、ダニー・ダイアのような労働者階級を代表するコックニー俳優（BBCの国民的ドラマ「イーストエンダーズ」でパブの店主を演じている）までもが、休みの日の最高の過ごし方はNetflixで映画を見ながらプロセッコを飲むこと、なんて言っているのを見ると隔世の感がある。英国での近年のプロセッコの浸透率は凄まじいものがあるのだ。シャンパンに比べると値段がぐっと安いこともあるが、いまや労働者階級の町でもご近所へのお礼とか挨拶とかでプレゼントし合うのはプロセッコである。

しかしながら、このプロセッコ人気もピークに達したと言われ、次に来るのはクレマンと呼ばれるフランスのシャンパーニュ地方以外で作られるスパークリングワインではないかという噂だ。マークス&スペンサーやウェイトローズといった、いわゆるミドルクラス御用達のちょっとハイソなスーパーでクレマンが売れ始めているそうで、この辺りで人気が出たものは、だいたい二、三年たつと裾野まで広がって我々庶民の食卓に降りてくる。

まあ何にせよ、パイントでビールを飲みまくってトイレに行きまくる、そして最後の締めはインド料理店のカレーかテイクアウェイのケバブ。みたいなマッチョな飲み方をする英国人はもはやそんなに多くないということであり、二十年前には想像もつかなかったが、かなり階層の下のほうまで、安い発泡葡萄酒が普及するというエレガントな飲酒事情になっているのだ。

③ビール離れは続くよ、どこまでも

がんがんビールを飲む世代だった中高齢者たちが、肝臓疾患や癌を恐れて（あるいは実際に病気になったりして）ビールを飲まなくなると、それでなくともあまり酒を飲まない若い層にどうやってアピールするかを考えなければアルコール業界に生き残るすべはない。

ミレニアル世代は（そしてその影響を受けて若ぶっている上の世代も）、パブに行くより、スポーツジムで汗を流してスムージーを飲むヘルシーなライフスタイルを好む。英国では、一人当たり、一日当たりのアルコール消費量が二〇〇三年では三・〇七ユニット（一ユニットは一〇〇%アルコールで一〇ミリリットル）だったのが、二〇一七年では二・五七ユニットに減少していた。こうしたビジネス的な危機に焦りを感じたアルコール企業は、まったく飲まない人やあまり飲まない人が夜の外出で楽しめる飲料の開発・売り出しに乗り出した。「Low & No（低アルコール&ノー・アルコール）」と呼ばれる一連の飲料がそれである。

British Beer and Pub Association（BBPA）によれば、二〇一八年に売れた「Low & No」ビールの量は、なんと約四千三百万パイントになるという。また、大手スーパーマーケット・チェーンでも、テスコは〇・五%アルコールのワインを販売しているし、ASDAもノンアルコールのメルロー・ワインを売っている。どちらも、ConeTechという企業の、ワインからアルコール分を抜く技術を使用しているそうだ。

消費者にアルコールを飲ませる工夫はほかにもたくさんあり、例えば、パブでビールをがぶ飲みするおっさんたちの代わりに、女性たちにアルコールを消費させようとする動きもある。その最たるものが、「ピンク・ジン」に代表されるような、着色して風味までつけたジンの流行である。むかしはジンといえばジンであり、バラエティーと言っても「ジン&トニック」とか「ジン&ティー」とか、割るものによって飲み方を変えるぐらいだった。

が、いまバーに行ってジンを注文すれば、「風味は何にしますか?」と聞かれたりする。で、またその風味というのが、アップル&ブラックベリー、トフィー&キャラメル、ストロベリー・チョコレートなど、まるでスイーツのようなものばかりであり、ピンク色のジンを注いだグラスにイチゴのスライスが浮かべられて来たりして、ジンがやけにファンシーなルックスになっているのである。

さらには、プリペイド式ワインバーも話題になっている。これは先にお金をチャージできるカードを購入し、ワインの自販機がたくさん置いてある店内を移動して回って、少しずついろんなワインが試せるという方式のバーだ。このスタイルで運営しているバー「ヴェガボンド」は、現在ロンドンに七店舗をオープンしており、今後は地方にも出店していくつもりらしい。

あの手、この手で飲まそうとしているアルコール業界の努力には涙ぐましいものがあるが、もはや酒の味や飲み方だけではなく、インスタ時代を反映し、見せ方も工夫ファクターの一つになっている。最近のカクテル流行りがまさにそれを象徴していて、インスタ映えするカクテルを投稿する「ドリンクスタグラマー」たちのおかげで、二〇一八年はリキュールの売り上げが飛躍的に伸びたそうだ。客がSNSに投稿する写真で素敵に見えるように、店内で使用するグラスや小物に気を配り、バーマンにも特別な訓練を施す店が増えているらしい。

④そんな英国で、いまでも飲んでいるのは誰なのか

というわけで、若い世代は「Low & No」アルコールを飲んで人付き合いを楽しんだり、見た目が美しいカクテルの写真を撮ってインスタグラムに投稿したりしてお酒を生活の中に取り込んでいる。このように飲まない若者たちとは対照的に、相変わらず大酒飲みの日々を送っているのは、リッチな中高齢者だという。

一般に、でろでろに泥酔するまで大酒を飲むのは労働者階級の若者（いわゆる「チャヴ」などという言葉で侮蔑されている層）だと思われているが、現代ではその構図はあてはまらない。

英国のNHS（国民保健サービス）は、「一週間にここまでは飲んでもよい」という健康的に消費できる飲酒量を十四ユニットと決めているが、二〇一七年にそれ以上飲んだと答えた十六歳以上の人々は全体の二一%だった。男性で十四ユニットを超えて飲んだと言った人は二八%、女性は一四%で約半分になっている。

この調査では、より裕福な層の人々の二七%が十四ユニットを超える飲酒をしたと答えたそうで、貧しい層の人々では一五%に留まった。また、最も飲んでいるのは五十五歳から六十四歳までの層で、男性の三六%、女性の二〇%が十四ユニットを超えている。

「こうしたデータは、飲酒の問題に関するステロタイプを覆します。つまり、いわゆる『無責任な飲酒者』と呼ばれる少数の人々だけに限られた問題ではないということです。裕福で、高学歴の人たちが一番飲んでいるのです。思い込みを捨てることがとても大切です」

シンクタンク、インスティテュート・オブ・アルコール・スタディーズの代表がガーディアン紙にそう話している。

一方、英国全体でのアルコール消費量は落ち続けているものの、飲酒が原因の疾患や怪我で病院の世話になる人々の数は増えているそうで、二〇一七年には前年比十万人増の百二十万人になったそうだ。これは病院で治療を受ける人の十四人に一人という計算になる。これらの人々が病院に来る理由は、飲酒が原因となる癌や不慮の事故による怪我、心臓発作や脳梗塞などだという。これなども、定期的に飲酒する人々の高齢化が進んでいることを示す現象だ。

と、まるで他人事のように書いているが、わたしなども明らかに高齢の大酒飲みなので、この部分はちょっと頭をうなだれながらパソコンのキーを打っている。

⑤ジェネレーションZがアルコール業界を終わらせる?

さて、高齢世代がいまだに酒を飲み続けて病院の世話になっている一方で、英国で一番若い世代であるジェネレーションZは、それでなくとも飲まないミレニアル世代と比較しても、さらに飲酒量が少ない。最も飲む世代が五十五歳から六十四歳であるのに対し、最も飲まない世代は一九九六年以降に生まれた人々だという。

ヘルシー志向の「飲酒よりエクササイズ」な流行を作ったのはミレニアル世代だが、ジェネレーションZはさらにそれを加速させていて、この世代が大人になったらアルコール業界は存続できなくなるのではないかと懸念する声すらある。

そもそも、酒を飲むということじたいが不健康でアンクールな習慣であり、むかしの人間のやる古臭いことだというイメージで捉えられていることは、例えば毎晩飲んでいる母親のことを見ている、わが家の息子の冷ややかな目つきを見てもわかる。

近年では、「ドライな一月」というムーヴメントも広がっている。ここでいう「ドライ」の意味は、酒をまったく飲まないという意味で、つまり、クリスマスやニューイヤーズ・イヴのパーティーなどで飲む機会が多かった十二月が終わり、一月になるとパタッと禁酒する人たちが増えているのだ。二〇一八年に「ドライな一月」禁酒を行った人は約四百万人もいたとBBCが伝えている。

英国の十六歳から二十四歳までの年代では、五人に一人がまったくアルコールを飲まない計算になるという。ひとつには、メンタルヘルスの問題を抱える若い世代が増えていて、アルコールがメンタルヘルスに及ぼす影響が理解されてきたことも飲酒離れの原因の一つだ。

まあ健康になることはいいことだ。若者たちには、あんな穢(けが)れた液体で肉体や脳を麻痺させて醜態をさらしたり、宿酔(ふつかよい)で翌日を棒に振ったりせず、ポジティブに輝く、明るいフューチャーを築いてほしい。

酒を飲んでたくさんの過ちを犯し、後悔で自分が嫌いになるようなことをやらかし、ああ酒さえ飲んでいなければ違う人生があったとくよくよしながら、それでもまだグラスにどぼどぼウィスキーを注いでいるわたしら年寄りの時代は終わった。わたしらのような酒飲みは徐々に絶滅する宿命なのである。

というわけで、「ハマータウンのおっさん世代」にとっては人生の伴走者だったアルコール事情の変化には、ある意味、世代論や階級論よりも鮮やかに地べた社会の変遷が透けて見える。

そろそろしらふで生きる決意をする者もいれば、しない者もいる。今後の英国における平均寿命の推移は、このあたりにかかっているとも言えるだろう。

あとがき　風雪ながれUKを生き延びること

これを書いているいま、英国は真っ暗な夜である。

十二月の総選挙でジェレミー・コービン率いる労働党が大敗したので、ジョンソン首相の保守党が今後五年間は政権を握ることになった。

「それどころか、もう、あと十年間は労働党が政権を取ることはないかもな」

うちの連合いはそう言う。これに賛同する人々は少なくない。

総選挙は、いろいろな陣営の人々にとって天下分け目の戦いだった。

ＥＵ残留派にとっては最後の望みをかけた決戦だったし、所謂（いわゆる）リベラルや左派を自認する人たちにとっては、ジョンソン首相を首相官邸から引きずり出すための聖戦だった。

投票日の前、連合いを含めたわたしの周りのおっさんたちは、これまでの選挙前には見たことがないほどディープに悩んでいた。

なんやかんや言って、これまではその生涯を通じて労働党に投票してきたおっさんたちである。それが「私立校の校長みたいなコービンは嫌い」「コービンは頼りなさ過ぎ」と言ったり、「労働党がＥＵ離脱の国民投票の再実施をやると言い出したのは、離脱派への裏切り」と憤慨したりして、どこに投票していいかわからないと懊悩（おうのう）していたのである。

「俺はいまの労働党には投票できない。だけど、俺は保守党（トーリー）にも入れられない。かと言って自由民主党もみどりの党も嫌で、どこにも入れたくない。こんな選挙は初めて」

うちの連合いもそう言って深い苦悩に打ち沈んでいた。

投票日の一週間ほど前、飲み会で他のおっさんたちと会ったときにも、やはりみんな同じようなことを言っていた。静かでおとなしい日本人女性として売ってきたわたしも、このときばかりは黙ってはいられないと思ったので、パブの一角で演説をぶちあげた。

「今回の選挙は、あなたが労働者なら労働党に入れなきゃいけない。EU離脱がどうのとかコービンがどうのとかそういうことはいったん脇に置いて、労働者なら労働党に入れる。だって保守党（トーリー）が本当に労働者のための政治なんかすると思うの？　思ってるならアホでしょ。バック・トゥ・ベーシック。労働者なら労働党！」

「そうだよな……」「それしかないかも」とおっさんたちは頷（うなず）いていた。

投票日、連合いは労働党に入れたと言った。ほかのおっさんたちも、ほとんど労働党に入れたと言っていた。

が、イングランドの中北部は違っていたようだ。

親子代々労働党の支持者だったという北部出身の知人はこう言った。

「投票所で保守党（トーリー）に票を投じたとき、死ぬまで労働党に入れてきた親父と祖父が見ていると思ったら手が震えた。地元の俺の友人たちは、みんな同じようなことを言っていた」

こういうことを言っている中北部の人たちの映像を何度もニュース番組で見た。選挙結果を示す地図を見ると、労働党のハートランド（心臓部）と呼ばれた中北部の地域が、見事に保守党のカラーであるブルーに染まっていた。

アイヤー、アイヤー、シェフィールド、ピーターボロウ、バーンズリー……と北島三郎になって『風雪ながれ旅』を歌いたくなった。

わたしはこれまで（そしてこの本でも）、英国の労働者階級のことを書いてきたつもりだ。が、それはあくまでもブライトンやロンドン周辺の人たちの、つまりイングランド南部の話だった。

いつか中北部に行って、そこで労働者のおっさんたちの話を聞いてみたい。ブレグジットから何年か過ぎてほとぼりが冷めた頃、「あなたはどっちに入れたの？」「どうしてそんなにEU離脱が大事だったの？」とパブで見知らぬ人びとに尋ね歩きたい。タクシーの運ちゃんと語り合ってみたい。

この本を書いたことで、わたしには新たな目標がひとつできた。

そんなわけでいよいよEUを離脱する英国（この原稿を書いた四日後、二〇二〇年一月三十一日に英国はEUを離脱）は、どこへ流れ着くとも知れない風雪ながれ旅へと船出する。アイヤー、アイヤー、と歌いたくなる瞬間はこれからも何度もあるだろう。

「まあなー、でも死ぬこたあねえだろ。俺ら、サッチャーの時代も生きてたし」

と連合いは言う。

そりゃそのとおりだ。英国のおっさんたちは、スウィンギング・ロンドンも、福祉国家の崩壊も、パンク時代も、サッチャー革命も、ブレアの第三の道やイラク戦争も、金融危機も大緊縮時代も見てきた、というか、乗り越えてきた。

政情がどうあろうと、時代がどう変わろうと、俺たちはただ生き延びるだけ。

彼らを見ていて感じるのは、そんないぶし銀のようなサバイバル魂だ。ちょっと愚痴は多いし、やけくそっぽい性質もあり、いい年をしてどうしてそんな無謀なことをするのかと呆れることもあるが、杖をついてもワイルドサイドを歩きそうな彼らのことをわたしはこれからも見守っていくことになるんだろう。

最後になったが、この本は、筑摩書房の井口かおりさんの「ブレイディさん、おっさんを書いてください」という唐突な提案から始まったものだった。編集者さんからの提案はいろいろあれど、これはちょっと意表を突くものだったので、なんか圧倒されて気がついたら書き始めていた。『ぼくはイエローでホワイトで、ちょっとブルー』で青竹のようにフレッシュな少年たちについて書きながら、そのまったく同じ時期に、人生の苦汁（くじゅう）をたっぷり吸い過ぎてメンマのようになったおっさんたちについて書く作業は、複眼的に英国について考える機会になった。二冊の本は同じコインの両面である。メンマ側を担当してくださった井口さん、ありがとうございました。そして『花の命はノー・フューチャー：DELUXE EDITION』（ちくま文庫）に続き、今回もブリリアントな装幀をしてくださった岩瀬聡さんにも心から感謝を贈ります。

二〇二〇年一月二十七日

ブレイディみかこ

写真等クレジット

前方男性（Tシャツ部分以外）　Comstock/Getty Images
地図　Bobtokyoharris/iStock
後方プラカードを持った人たち　Rawpixel/iStock
後方女性、犬　Shutterstock

八頁　　　「手のひらを太陽に」作詞　やなせ・たかし
一六三頁　「悲しくてやりきれない」作詞　サトウハチロー
タイトル　Walk on the Wild Side by Lou Reed
　　　　ルー・リードの「ワイルドサイドを歩け」に由来。

初出一覧

本書の第一章はＰＲ誌『ちくま』に掲載された。掲載号は次の通りである。

1 刺青と平和　二〇一七年十二月号
2 木枯らしに抱かれて　二〇一八年一月号
3 ブライトンの夢――Fairytale of Brighton　二〇一八年二月号
4 二〇一八年のワーキング・クラス・ヒーロー　二〇一八年三月号
5 ワン・ステップ・ビヨンド　二〇一八年四月号
6 現実に嚙みつかれながら　二〇一八年五月号
7 ノー・サレンダー　二〇一八年六月号
8 ノー・マン、ノー・クライ　二〇一八年七月号
9 ウーバーとブラックキャブとブレアの亡霊　二〇一八年八月号
10 いつも人生のブライト・サイドを見よう　二〇一八年九月号、十月号
11 漕げよカヌーを　二〇一八年十一月号
12 燃えよサイモン　二〇一八年十二月号
13 ゼア・ジェネレーション、ベイビー　二〇一九年一月号
14 Killing Me Softly――俺たちのＮＨＳ　二〇一九年二月号、三月号
15 君が僕を知ってる　二〇一九年四月号
16 ときめきトゥナイト　二〇一九年五月号
17 Hear Me Roar――この雄叫びを聞け　二〇一九年六月号
18 悲しくてやりきれない　二〇一九年七月号
19 ベイビー・メイビー　二〇一九年八月号
20 「グラン・トリノ」を聴きながら　二〇一九年九月号
21 PRAISE YOU――長い、長い道をともに　二〇一九年十月号、十一月号

第二章は書き下ろし

ブレイディみかこ
ライター・コラムニスト。一九六五年福岡市生まれ。県立修猷館高校卒。音楽好きが高じてアルバイトと渡英を繰り返し、一九九六年から英国ブライトン在住。ロンドンの日系企業で数年間勤務したのち英国で保育士資格を取得、「最底辺保育所」で働きながらライター活動を開始。二〇一七年、『子どもたちの階級闘争』（みすず書房）で第十六回新潮ドキュメント賞受賞。二〇一八年、同作で第二回大宅壮一メモリアル日本ノンフィクション大賞候補。二〇一九年、『ぼくはイエローでホワイトで、ちょっとブルー』（新潮社）で第七十三回毎日出版文化賞特別賞受賞、第二回Yahoo!ニュース｜本屋大賞 ノンフィクション本大賞受賞、第七回ブクログ大賞（エッセイ・ノンフィクション部門）受賞。
著書は他に、『花の命はノー・フューチャー DELUXE EDITION』（ちくま文庫）、『アナキズム・イン・ザ・UK』（Pヴァイン）、『ヨーロッパ・コーリング——地べたからのポリティカル・レポート』（岩波書店）、『THIS IS JAPAN——英国保育士が見た日本』（新潮文庫）、『いまモリッシーを聴くということ』（Pヴァイン）、『労働者階級の反乱——地べたから見た英国EU離脱』（光文社新書）、『女たちのテロル』（岩波書店）などがある。

ワイルドサイドをほっつき歩け
——ハマータウンのおっさんたち

二〇二〇年六月五日　初版第一刷発行
二〇二〇年七月五日　初版第五刷発行

著　者　ブレイディみかこ
発行者　喜入冬子
発行所　株式会社筑摩書房
東京都台東区蔵前二—五—三　〒一一一—八七五五
電話番号　〇三—五六八七—二六〇一（代表）
印　刷
製　本　三松堂印刷株式会社

ISBN978-4-480-81550-7 C0095